O MÉDICO
JESUS

O MÉDICO
JESUS

O Médico Jesus

Copyright© Intelítera Editora

Editores: *Luiz Saegusa* e *Claudia Zaneti Saegusa*
Direção Editorial: *Claudia Zaneti Saegusa*
Capa: *Thamara Fraga*
Projeto Gráfico e Diagramação: *Casa de Ideias*
Revisão: *Rosemarie Giudilli*
Finalização: *Mauro Bufano*
31ª Edição: *2025*
Impressão: *Lis Gráfica e Editora*

Esta obra foi editada anteriormente por outra editora, com o mesmo conteúdo e título.

Dados Internacionais de Catalogação na Publicação (CIP)
(Câmara Brasileira do Livro, SP, Brasil)

De Lucca, José Carlos
   O Médico Jesus / José Carlos De Lucca. - -
1. ed. – São Paulo : Intelítera Editora, 2010.

   Bibliografia.

   1. Cura pela fé 2. Jesus Cristo - Ensinamentos
3. Jesus Cristo - Interpretação espírita
I. Título.

10-10569   CDD-133.93

Índices para catálogo sistemático:
1. Cura pela fé : Doutrina espírita   133.93
ISBN: 978-85-63808-02-8

Intelítera Editora
Rua Lucrécia Maciel, 39 - Vila Guarani
CEP 04314-130 - São Paulo - SP
(11) 2369-5377   (11) 93235-5505
intelitera.com.br | facebook.com/intelitera | instagram.com/intelitera

As ideias apresentadas neste livro não se destinam a substituir o tratamento com um profissional da área médica ou psicológica. Estou convicto de que médicos e psicólogos são valiosos instrumentos de que Jesus se vale para realizar muitas curas em nossa vida.

Agradeço ao amigo Luiz Saegusa pela confiança que sempre depositou em meu trabalho.

*Sei que ainda é muito pouco, mas ofereço este livro ao Médico Jesus.
Espero também poder oferecer a minha vida a Ele.*

O autor cedeu os direitos autorais desta obra à
**Associação Espírita Beneficente
Dr. Adolfo Bezerra de Menezes
Abrigo da Velhice Desamparada**
Rua Dona Vicentina Alegretti, 265,
Penha, São Paulo, SP
www.abrigobezmenezes.org.br

Prefácio

É com muita alegria que recebemos mais uma valiosa obra das mãos do estimado companheiro Dr. José Carlos De Lucca, que soube atender ao honroso convite do Dr. Bezerra de Menezes.

Neste livro, o autor descreve como os sentimentos e emoções em desequilíbrio nos causam doenças, como o nosso comportamento diante das doenças pode retardar o processo de cura, e também nos ensina, com clareza e lógica, quais os recursos de cura que podemos utilizar. Destaca entre outros, a aceitação, a consciência de nós mesmos e a transformação moral, baseados no Evangelho e nas lições do Médico Jesus.

Todos os conceitos apresentados sobre a atuação da nossa mente na instalação das doenças físicas e desequilíbrios emocionais, foram estudados e avaliados pelo autor com a máxima dedicação e critério, estando em pleno acordo com os estudos da Medicina Psicossomática.

O Professor De Lucca especifica em cada capítulo a responsabilidade que temos com nossa saúde integral e nosso compromisso com a dádiva da vida, abordando com precisão cada tema, dando orientações seguras a fim de que possamos alcançar a cura de nossas almas e aproveitar com dignidade a valiosa oportunidade da encarnação.

Nas páginas seguintes encontraremos a resposta para muitas dúvidas que nos afligem a respeito das nossas doenças e o seu remédio, baseado nas atitudes de fé raciocinada, de esperança e de amor ao próximo. Em cada lição, entenderemos que a dor e o sofrimento nos remetem à busca da cura do corpo e da alma; que o verdadeiro perdão nos liberta; que a caridade nos afasta da depressão e da apatia; que a paz e a serenidade são conquistas do dia a dia, alcançadas com a prática da paciência, da alteridade e da compreensão; e que a alegria e o sorriso fazem parte da nossa cura.

Rogamos a Deus que abençoe o trabalho de divulgação da Doutrina Espírita que o nosso amigo De Lucca exerce com humildade e coragem, dando-nos o exemplo de fé e determinação. Que o Médico Jesus lhe proporcione a cada dia energias renovadoras para que possa continuar a sua tarefa luminosa.

Joel Beraldo.
Médico e amigo de sempre.

Índice

Palavras iniciais 13
O Médico Jesus 15
Mudança de rumo. 20
Quando a doença chegar 23
Espelho, espelho meu. 26
Você é seu remédio 28
Segredo da saúde 31
Fique em paz. 34
Prove o amor 37
Sem reclamação 40
Autoconhecimento. 43
Cura real 46

Farmácia de Deus	49
Socorro de Deus	52
Três remédios	55
Paciência é remédio	58
Tocou o alarme	60
A criança cura	62
Mensageira da vida	65
Dieta mental	69
Esvazie a xícara	72
Palavras que curam	75
Mente curável	78
Regeneração	81
Não aceite	84
A doença é o caminho da cura	86
Converse com seu travesseiro	88
Para receber alta	91
O poder da atenção	94
Terapia da gratidão	97
Sem preocupação	101
Alguém bate à sua porta	103
Temperança	106
Para melhorar agora	108
Ajude seu médico	110
Uma boa noite de sono, um dia de saúde	112

Investimento..............................115
Suas taxas................................117
Receita simples 120
Risoterapia...............................123
O poder da vontade 126
Receita para ficar doente 129
Seja o alimento o seu remédio 131
Terapia do amor...........................133
Perdoe aos seus pais 136
Doenças do casamento 139
Aos profissionais da saúde 142
Visualização criativa 145
Oração a Jesus............................148

Palavras iniciais

Há mais ou menos três anos, tive um sonho com o Espírito Bezerra de Menezes no qual o querido Benfeitor me sugeria escrever um livro sobre cura espiritual. Bem me lembro de que no sonho eu resistia ao convite, pois alegava que não era médico para escrever um livro sobre o assunto.

Não posso atestar que o sonho tenha sido mesmo um encontro espiritual com o caro Dr. Bezerra, no entanto, o convite ficou arquivado em meu coração e durante esses anos a ideia do livro não me abandonava.

Tive algumas resistências para escrever este livro; a principal delas não era tanto pela razão de não ser médico, mas pelo fato de ser alguém que também tem as suas doenças. Como uma pessoa enferma poderia escrever sobre saúde? Venci essa resistência quando me dei conta de que o médium escreve o livro primeiramente para si mesmo.

Então, caro leitor, divido com você estas páginas, pequenas gotas de saúde extraídas do Evangelho de Jesus. Saiba que antes de lhe oferecer este trabalho, o livro tem me ajudado bastante a entender e a superar minhas próprias enfermidades. E só por isso já valeu ter vencido minhas resistências. Espero que você vença as suas também, porque, quando se fala de doença, o doente quase nunca se põe como responsável por suas enfermidades e protagonista da sua cura. Sempre é mais fácil culpar a poluição, o estresse, os genes, os vírus e as bactérias.

Estarei orando para que este trabalho seja como aquele livro no qual você encontrará o endereço do Médico Jesus e com Ele possa marcar logo a sua consulta. Ele o aguarda em cada página deste livro.

De Lucca, outubro de 2008.

O Médico Jesus

* * *

E percorria Jesus todas as cidades e aldeias,
ensinando nas sinagogas deles, e pregando
o evangelho do reino, e curando todas as
enfermidades e moléstias entre o povo.
Jesus (Mateus, 9-35)

Se permanecerdes em mim e as minhas
palavras permanecerem em vós, pedireis
o que quiserem, e vos será feito.
Jesus (João, 15-7)

Filhos do meu coração.
Que o Senhor Jesus abençoe este ensejo bendito de integração espiritual com nossos irmãos encarnados.

Aqui compareço nas páginas desta despretensiosa obra, com o único intuito de testemunhar os esforços que os Guias Espirituais têm feito em favor da preservação da saúde de todos aqueles que ainda mourejam na experiência física.

Quando vos entregais ao sono, vossos guias tutelares entram em ação mais direta trazendo-vos às esferas do nosso plano para a restauração das forças físicas combalidas pelas contínuas e extenuantes agitações da vida moderna.

Cirurgias são realizadas em vossos corpos espirituais, removendo futuros obstáculos que mais tarde se manifestariam no corpo físico em forma de distonias várias, impedindo o desempenho de vossas tarefas reencarnatórias.

Recargas energéticas são procedidas por técnicos do nosso plano quando vossas energias entram no eclipsar das convulsões emocionais mais densas, todas elas procedidas pelos recalques dos melindres e das paixões.

Pena que nossos irmãos se desvinculem temporariamente do corpo em precárias condições espirituais, pois muitos sequer abrem os lábios para uma prece de gratidão a Deus antes de se recolherem aos seus leitos.

Talvez alguém desconfie de tanta misericórdia para com os deslizes humanos, no entanto, posso vos assegurar que o Amor de Deus é incomensuravelmente maior do que todos os nossos desatinos. Não fosse a eterna e inesgotável complacência do Pai, não suportaríamos o peso implacável da lei de causa e efeito.

Vossos anjos de guarda também se incumbem de cuidados diários para que a comida que vos chega à mesa esteja munida dos recursos espirituais necessários ao desempenho de vossas tarefas, retirando, tanto quanto possível, as influências deletérias nascidas da invigilância mental e da falta de asseio verbal na hora da refeição.

Antes mesmo de vos levantardes, vossos guias aplicam recursos espirituais para o equilíbrio da máquina física, embora lamentem, posteriormente, que esses recursos venham a se perder pelo mau humor, pela apatia e pela revolta, que tomam conta de muitos de nossos filhos ao se levantarem.

No decorrer do dia, mesmo que com muitas dificuldades de acesso às vossas mentes conturbadas e inquietas, muitos familiares queridos, que se encontram domiciliados em nosso plano e que ainda sentem infinito amor por seus entes amados que permanecem na experiência física vos cobrem de carinho espiritual e não se cansam de vos orientar na senda do amor, da paciência com as adversidades, do otimismo em relação ao futuro, e do trabalho santificante de amor ao próximo, bases em que se assenta a nossa saúde espiritual.

De nossa parte, um simples gemido de dor ainda nos constrange o coração e por isso sempre solicitamos a Jesus que nos permita atender, em seu Nome, os que passam pela caudal das provações.

Isso tudo, meus filhos, dizemos não para vos cobrar tributos de gratidão da pequenina assistência que nos é possível prestar, pois nós também ainda nos sentimos enfermos perante aquele que é a suprema bondade, o supremo amor de nossas existências, o inolvidável Mestre da Galileia.

Falamos isso para demonstrar o quanto Jesus é o nosso socorro incessante. Toda cura que se realiza no planeta é obra e milagre do amor de Jesus.

Por isso, gostaríamos de aproveitar a oportunidade para, humildemente, reiterar aos nossos filhos da alma, os apelos para que jamais olvidemos de consultar o Médico Jesus em nossas dificuldades no campo da saúde e da harmonia íntima.

Se procurarmos pela paz, Jesus é a fonte inexaurível.

Se nos encontrarmos perdidos, Jesus é o caminho de portas abertas.

Se estivermos aflitos, Jesus é a consolação para agora.

Se a tristeza nos visitar, Jesus é a esperança de um novo amanhã.

Se a doença nos abater, Jesus é o remédio acessível a todos os corações.

Meus filhos, não procureis Jesus apenas para a cura de vossas desarmonias físicas, procurai-O também como médico sublime de vossas almas, pois em toda doença física o que encontraremos sempre é um espírito enfermo necessitado de amor.

Jesus continua sendo o nosso divino médico, receitando o amor por solução das nossas dores, pois somente o amor é remédio capaz de arrostar a doença do egoísmo para bem longe do nosso caminho.

Que as bênçãos do Cristo em favor da saúde encontrem nosso coração sintonizado nas frequências do amor. Este singelo livro é uma ferramenta útil ao nosso encontro com o Médico Jesus.

Augurando sinceramente a nossa cura integral, despeço-me, com carinho paternal, no abraço amigo do servidor de sempre,

Bezerra.[1]

---

[1] Página recebida por José Carlos De Lucca, em reunião íntima de preces no Culto do Evangelho no Lar.

Mudança de rumo

* * *

Se estás doente, meu amigo, acima de qualquer medicação, aprende a orar e a entender, a auxiliar e a preparar o coração para a Grande Mudança.
Emmanuel[2]

Quando estamos em um lugar que nos desagrada e nos provoca algum sofrimento, a solução mais lógica é deixarmos esse local. Quando pretendemos chegar a uma cidade

---

[2] *Fonte Viva*, psicografia de Francisco Cândido Xavier, FEB.

ao norte e pegamos uma estrada ao sul, precisamos fazer uma conversão para alcançar a rodovia correta.

Na enfermidade ocorre a mesma coisa. A doença é um aviso de que estamos dirigindo o carro da nossa vida pela estrada errada, e geralmente essa estrada se chama "desequilíbrio". Por isso, não há cura verdadeira sem mudança de estrada, sem uma conversão de nossa parte. Desacelere o carro da sua vida, faça uma parada. Se você continuar correndo desse jeito vai se arrebentar na primeira curva das dificuldades.

Reflita sobre seus atos e caminhos, sem nenhum propósito de se culpar pelo que tem feito. O objetivo é torná-lo consciente das escolhas que tem feito, estimulando-o a tomar uma nova estrada que o levará ao destino da saúde e da felicidade.

Em todas as curas que realizava Jesus sempre apresentava aos enfermos a proposta do "não peques mais", isto é, do "não voltes a errar", o que para nós significa a necessidade de mudança de rumo que qualquer processo sincero de cura nos solicita. Muitos a quem Jesus curou voltaram a adoecer porque não mudaram de vida, persistindo em seus velhos hábitos doentios. Tenhamos consciência de que custará muito menos mudar do que experimentar o sofrimento do comodismo. Nenhum processo de cura se estabelece sem duas condições indispensáveis: consciência e mudança.

Nunca é tarde para mudar de caminho, por piores que tenham sido as estradas do erro percorridas. Jesus não desistiu de você. A doença é um chamado para voltarmos ao caminho do bem. Como há dois mil anos, o Médico Jesus está pronto para curá-lo. E você, está pronto para a mudança?

· · · · · · ·

A DOENÇA É UM AVISO DE QUE ESTAMOS DIRIGINDO O CARRO DA NOSSA VIDA PELA ESTRADA ERRADA, E GERALMENTE ESSA ESTRADA SE CHAMA "DESEQUILÍBRIO".

· · · · · · ·

Quando a doença chegar

* * *

Lembremo-nos de que, por vezes, perdemos a casa terrestre a fim de aprendermos o caminho da casa celeste; ... há épocas em que as feridas do corpo são chamadas a curar as chagas da alma, e situações em que a paralisia ensina a preciosidade do movimento.

Emmanuel[3]

---

[3] *Fonte Viva*, psicografia de Francisco Cândido Xavier, FEB.

Se a doença o visitou, não pense que você esteja sendo punido por Deus. Se quiser se curar pare de pensar em castigo, porque castigo é maldade e maldade não tem poder de curar coisa alguma.

Pense na doença como uma professora de seu aprimoramento espiritual, como alguém que veio salvar de um caminho perigoso em que você se conduzia e não percebia que estava prestes a cair no precipício. A doença é o caminho que poderá levá-lo a uma vida mais saudável e feliz, desde que não mergulhe nas águas da revolta e do desespero. Você acha que Deus não está interessado na sua felicidade?

A palavra vingança não existe nos Códigos Divinos. Deus nos ama, sobretudo quando estamos frágeis e precisando de ajuda, como agora. Qual o pai amoroso que não faria qualquer coisa para resgatar o filho em perigo?

Jesus se apresentou para nós como o Bom Pastor, o Pastor que nos conhece e que está disposto a dar sua vida por nós[4]. Jesus sabe até a quantidade de cabelos em nossa cabeça[5] e por isso conhece nossas dificuldades do momento. Ele nos acompanha atentamente e deseja aproveitar as tempestades de agora para lavar nosso coração da raiva, da vingança, da mágoa, da tristeza e do medo. Se continuássemos sujos, não suportaría-

---

[4] João: 10, 11-15.
[5] Mateus: 10-30.

mos o peso das nossas próprias mazelas. Os problemas em geral procuram nos arrancar da loucura do mal, proporcionando-nos um choque que nos desperta para as coisas essenciais da vida.

Você está disposto a aceitar a ideia de que a doença é um mal muito menor e necessário para impedir os grandes males que lhe aconteceriam se você continuasse vivendo na sua loucura?

. . . .

PENSE NA DOENÇA COMO UMA PROFESSORA DE SEU APRIMORAMENTO ESPIRITUAL, COMO ALGUÉM QUE VEIO SALVAR DE UM CAMINHO PERIGOSO EM QUE VOCÊ SE CONDUZIA E NÃO PERCEBIA QUE ESTAVA PRESTES A CAIR NO PRECIPÍCIO.

. . . .

Espelho, espelho meu

* * *

Não acho que devemos procurar a dor, mas a dor existe por um motivo. Ela diz: 'Ei, escute! Preste atenção! Você está fazendo uma coisa que não é boa para você'. A dor é uma mensageira. A dor é informação.
Dr. Dean Ornish[6]

Para se curar, você precisará de muito mais do que médicos, remédios, exames, dietas e cirurgias. Terá que se olhar frente a frente no espelho da própria consciência e, sem nenhuma culpa, descobrir o motivo pelo qual precisou adoecer.

---
[6] *Amor & Sobrevivência*, Rocco.

Não raro, criamos, inconscientemente, nossas próprias doenças para satisfazer certas necessidades emocionais que não estavam sendo atendidas por outras vias.

Vamos mergulhar nas camadas mais profundas do nosso ser e verificar quais são essas necessidades psicológicas e procuremos atendê-las de maneira saudável, sem a necessidade da doença. Pode ser que você esteja odiando seu emprego, seu casamento ou esteja precisando de atenção de alguém que lhe é muito especial, por exemplo.

Você não é o super-homem ou a mulher-maravilha, você é apenas um ser humano com infinitas possibilidades, mas também com necessidades que precisam ser atendidas. A doença apenas está querendo mostrar as carências da sua alma.

O Médico Jesus prescreveu o conhecimento da verdade como o caminho da nossa libertação.[7] Qual a verdade sobre a sua doença? Por que motivos você precisou adoecer? O que você está querendo dizer às pessoas à sua volta com a sua enfermidade?

Ao descobrirmos essas verdades, poderemos encontrar outros meios menos dolorosos para a satisfação das nossas necessidades emocionais. E quando isso ocorre, a doença não tem mais razão de existir. As palavras "curar" e "cuidar" têm a mesma raiz etimológica. Toda cura pressupõe um cuidado. A doença chegou para dizer que algo está precisando ser cuidado em você.

---

[7] João: 8-32.

Você é seu remédio

* * *

Viver sem amor, compaixão ou qualquer outro valor espiritual cria um estado de desequilíbrio tão grave que todas as células anseiam por corrigi-lo. Em última análise, é isso que existe por trás do início da doença.
Dr. Deepak Chopra[8]

Você tem experimentado raiva, frustração, pavor, ressentimento, culpa e autodesprezo. Tem experimenta-

---
[8] *O Caminho da Cura*, Rocco.

do os reflexos físicos desses sentimentos negativos que intoxicam seu corpo espiritual e descem para os níveis físicos em formas de doenças das mais variadas espécies.

Chegou a hora de você experimentar o amor como o elixir capaz de restaurar a saúde espiritual. Chegou a hora de você inverter a polaridade negativa que se estabeleceu em sua vida por conta das escolhas que tem feito até agora. Mude o botão da sintonia.

O amor não é material, é sentimento que se converte na mais poderosa energia de vida. Sentimos amor todas as vezes que manifestamos compaixão, doação, bondade, perdão, alegria e paz. E quando exprimimos amor, todo o nosso cosmo orgânico vibra na sua mais alta frequência, afastando a doença e restabelecendo a saúde e o bem-estar.

Se você procura o Médico Jesus, convença-se de que Ele não tem outra receita a lhe dar. Jesus não quer apenas tratá-lo, remediar suas dores para que você continue a ser a mesma pessoa que era antes de adoecer. O Médico Jesus deseja, sim, curá-lo para que você experimente uma vida muito mais feliz e compensadora.

Creia que você mesmo é o seu remédio ou seu próprio veneno, você mesmo é o seu bem ou o seu mal. Quem se permitiu adoecer tem todo o poder para neutralizar a doença.

A cura é o processo do regressar ao seu estado natural, à sua essência divina, na qual o amor e a alegria representem seu jeito saudável de viver. É como um regressar à infância.

O Médico Jesus recomenda sessões permanentes de fisioterapia espiritual mediante a assimilação do "Brilhe a Vossa Luz"[9]. Creia que você é luz de Deus, criatura dotada de todos os recursos necessários a uma vida feliz e saudável. A doença surgiu porque em algum momento a sua luz deixou de brilhar e a negatividade escureceu seu caminho.

A enfermidade é um quarto escuro. Ponha a mão no interruptor da positividade, da esperança, da fé em si mesmo e da fé em Deus, recupere seu entusiasmo pela vida e assim, logo mais, a luz da saúde brilhará para você. Essa luz já existe em você, já lhe pertence por herança divina. Vamos, então, acendê-la?

·······

CREIA QUE VOCÊ MESMO É O SEU REMÉDIO OU SEU PRÓPRIO VENENO, VOCÊ MESMO É O SEU BEM OU O SEU MAL.

·······

---

[9] Mateus: 5-16.

Segredo da saúde

* * *

Grande parte de vosso sofrimento é por vós próprios escolhida. É a amarga poção com a qual o médico que está em vós cura o vosso 'eu' doente.

Gibran Kahlil Gibran[10]

Quanto mais enfermo você estiver, maior a necessidade de romper com uma série de comportamentos danosos que tem se permitido ao longo do tempo. Ninguém adoece do dia para a noite. Ninguém vai dormir feliz e acorda

---

[10] *Medicina Espiritual*, coletânea de pensamentos, Sonia Aguiar, Record.

depressivo, ninguém vai para a cama com saúde e acorda com um câncer.

Tramamos nossas próprias doenças mediante desequilíbrios que se sucedem no tempo. Cometemos pequenos suicídios todos os dias. Interrompa esse ciclo acumulando dias saudáveis em sua existência. Saiba que a vida é acumulativa, vale dizer, o que hoje nos sucede de bom ou ruim é o resultado de ações que se acumularam ao longo do tempo.

No campo dos cuidados com nosso corpo, porém, muitas vezes temos mais desculpas que esforços em favor da preservação da saúde. Inventamos mil justificativas e adiamos sempre as atitudes que nos garantiriam mais qualidade de vida.

Desse modo, nenhuma intervenção espiritual poderá se dar sem que, primeiramente, ocorra em nós uma transformação de nossa consciência sobre as pedras que colocamos em nosso caminho.

Quando Jesus ressuscitou Lázaro[11], que já estava enterrado há quatro dias, pediu primeiramente aos discípulos que retirassem a pedra da sepultura. Ora, por que o próprio Jesus não retirou ele mesmo a pedra? Não retirou porque a tarefa poderia ser feita pelas pessoas presentes no local. Depois que a pedra foi retirada, Jesus curou Lázaro.

---

[11] João: 11, 1-45.

Assim se passa conosco. Precisamos remover a pedra dos nossos hábitos infelizes para que Jesus nos cure. O princípio é que nada se altera no mundo sem que algo se mova primeiramente. No campo das enfermidades isso é muito verdadeiro. Pequenas atitudes felizes tomadas todos os dias formam o segredo da saúde e da cura.

Faça algo de bom pela sua saúde, não coloque mais pedras na sua sepultura, ao contrário, retire-as para que o Cristo o ressuscite da doença. O Mestre está disposto a fazer tudo em seu benefício, porém se não retirarmos a pedra que nos levou ao desequilíbrio, como esperar que Jesus nos cure?

Uma simples caminhada, por exemplo, pode fazer muitos benefícios para a saúde. Caminhe pelo quarteirão de sua casa. Se não puder, caminhe dentro de casa. Se ainda não puder, caminhe ao redor da cama. Se ainda assim lhe for impossível, mexa o dedão do pé, abra e feche as mãos, pisque os olhos, enfim faça alguma coisa por você, porque é reagindo à doença que a saúde caminha ao seu encontro.

Aproveite para pensar também nas outras pedras que estão em sua vida, elas estão disfarçadas de mágoas, culpas, ódios, complexos de inferioridade, irritações, orgulho e egoísmo. Deixe livre o caminho de sua vida, limpe-o o mais depressa possível, porque Jesus, a qualquer hora, chegará para tirá-lo do túmulo da doença.

Fique em paz

* * *

*Cair em culpa demanda humildade viva
para o reajustamento tão imediato quanto
possível do nosso equilíbrio vibratório, se não
desejamos o ingresso inquietante na escola
das longas reparações.*
Emmanuel[12]

A doença também surge quando há um sentimento de divisão interior advindo dos conflitos da culpa, que fomentam enfermidades e acidentes como forma de autopunição.

---

[12] *Pensamento e Vida*, psicografia de Francisco Cândido Xavier, FEB.

Para recuperar a saúde, convença-se logo de que você precisa se sentir em paz, isto é, precisa estar reconciliado consigo mesmo, pouco importando o tamanho dos seus tropeços. Ninguém alcança a saúde se está com um abcesso mental chamado "culpa".

A autocondenação é um processo perverso, pois não nos redime dos equívocos, ao revés permanecemos aprisionados a eles repetindo os mesmos enganos.

Jesus propõe outro roteiro para nossos enganos. Pede-nos para não resistirmos ao mal[13], isto é, para não usarmos as mesmas armas do mal, porque o mal não faz bem a quem o comete. O mal não produz saúde, o mal traz enfermidade.

A culpa é um mal, pois é uma espécie de condenação, e Jesus nos pede para não julgarmos, pede para darmos a outra face, a face do perdão e do amor. E por que nós não seríamos dignos de também receber esse perdão? Não são os doentes que precisam de remédios? Então o autoperdão é o remédio que Jesus nos receita, a terapia para não resistirmos ao mal que o sentimento de culpa nos causa.

Não resistimos ao mal também quando, ao lado do autoperdão, buscarmos o amor em forma de mudança positiva de nossas condutas. Autoperdoar-se, corrigir-se e reparar o mal é muito mais saudável do que punir-se.

---

[13] Mateus: 5-39.

O Médico Jesus lhe prescreve o amor em forma de reconciliação consigo mesmo e com os seus irmãos. Jesus aceita todos os seus deslizes, mas Ele não quer que você continue desse jeito. Ele o ama demais.

∴

A AUTOCONDENAÇÃO É UM PROCESSO PERVERSO, POIS NÃO NOS REDIME DOS EQUÍVOCOS, AO REVÉS PERMANECEMOS APRISIONADOS A ELES REPETINDO OS MESMOS ENGANOS.

∴

Prove o amor

* * *

*A cura tem início quando o paciente se
ama e passa a amar o seu próximo.
É um processo profundo de integração da
pessoa nos programas superiores da Vida.*
Joanna de Ângelis[14]

Curar-se, em última análise, deve ser um ato de amor profundo. Amar faz com que nossas células vibrem em perfeita harmonia. E onde a harmonia se faz presente a doença não encontra lugar.

---

[14] *Desperte e Seja Feliz*, psicografia de Divaldo Pereira Franco, LEAL.

Mas o amor só tem sentido quando ele é experienciado, sentido. A palavra "amor" é neutra, expressa apenas uma ideia. Somente quando se ama é que poderemos saber o amor. Saber tem sentido de saborear, experimentar. Olhar para uma fruta não nos permite conhecer seu sabor. Somente quando a provamos é que sentiremos seu gosto.

Por que você não sente o gosto do amor agora mesmo? Será que não existe alguém esperando um abraço seu? Um telefonema? Não existe alguém precisando da sua palavra amiga? De um simples pedaço de pão que você queira dividir?

Será que você também não será capaz de um gesto de amor por si mesmo? Eu tenho certeza de que sim. Ligue para um amigo e peça ajuda para suas dificuldades. Procure amparo espiritual no templo religioso de sua fé. Acerque-se de pessoas de bom astral. Cultive somente ideias positivas a seu respeito.

Além do mais, o ato de abandonar um hábito nocivo que agrida nosso corpo é uma das formas mais autênticas de amar a si mesmo. Nós não gostaríamos de ver um filho entregue às drogas porque o amamos, não é verdade? E por que não temos amor suficiente por nós, para nos libertar de hábitos infelizes que estão destruindo a nossa vida?

Jesus é considerado o médico dos médicos porque experimentou o amor em todos os lances da sua vida, sobretudo nos mais aflitivos. Jesus não foi um teórico do amor, por isso Ele se tornou o Guia Espiritual da humanidade nos indicando que, amando, seríamos verdadeiramente felizes.

Acha isso apenas poesia? Mas, será que de fato não está faltando mais poesia em nossa vida?

Pois, então, o que é que faremos com todo o nosso dinheiro se não o transformarmos em coisas e situações que sensibilizem e alimentem nossa alma?

O que faremos diante da farta refeição se não tivermos pelo menos um amigo que queira sentar-se conosco à mesa?

Que faremos do nosso diploma se não fizermos da nossa profissão um campo de serviço ao semelhante?

Que faremos das crianças à nossa volta se não tivermos mais alegria em nossa vida?

Que faremos dos idosos se não conseguirmos mais contemplar o pôr do sol?

Que faremos dos nossos amores se já não formos capazes de namorar as estrelas solitárias no céu?

Saboreie o amor, ponha mais poesia e encantamento em seu olhar, veja além da realidade física, pois é mudando a percepção sobre a nossa jornada existencial que encontraremos o caminho da cura.

Sem reclamação

* * *

Se disseres, ante um problema que surge: 'isto não é nada', de fato, o problema será nada. Pode ser que seja alguma coisa, mas, gradativamente, se reduzirá de tamanho e complexidade.

Irmão José[15]

Sem aceitação da doença, cairemos nas faixas do desespero e da revolta, e isso seria a pior coisa que poderia ocorrer a quem está enfermo. Ninguém consegue mudar algo que não aceita.

---

[15] *De Ânimo Firme*, psicografia de Carlos A. Baccelli, Didier Editora.

Enquanto estivermos reclamando da doença, perderemos precioso tempo na conquista da saúde. Pare de brigar com a situação, faça as pazes com a enfermidade, sem boa vontade jamais conseguiremos vencer qualquer impedimento. A reclamação é uma bomba jogada no terreno da nossa vida, é uma energia negativa que apenas faz crescer aquilo que nos incomoda.

Quando se deparou com um paralítico junto ao poço de Betesda, Jesus indagou ao enfermo se ele gostaria de ser curado[16]. Em vez de responder afirmativamente, o paralítico apresentou uma série de reclamações a respeito das pessoas que não o ajudavam a entrar no poço, cujas águas eram tidas como milagrosas.

O Médico Jesus não falou uma palavra sequer sobre as reclamações do paralítico. Mudou de assunto. Simplesmente apresentou ao enfermo um roteiro para a cura: "Levanta-te, toma a tua cama e anda."

Levantar é sair do chão do vitimismo e da reclamação. É assumir uma nova condição que nasce com o desejo de aprender a mensagem que a enfermidade nos trouxe.

Tomar a cama é assumir o controle da doença e não ser controlado por ela. É ter a certeza de ser o personagem mais importante no processo da própria cura.

Andar é o convite que Jesus nos faz para seguirmos adiante, avançarmos, fazermos as mudanças necessárias

---
[16] João: 5, 1-15.

para atingir uma nova fase em nossa vida. Não podemos estacionar nas avenidas da inércia. Doença gosta de cama, de sofá, de pijamas, de ociosidade.

Pare de reclamar e siga a receita de Jesus: levanta-te, toma o teu leito e siga adiante que a doença vai embora porque, sendo muito preguiçosa, jamais conseguirá alcançá-lo.

· · · · · · ·

É TER A CERTEZA DE SER O PERSONAGEM
MAIS IMPORTANTE NO PROCESSO DA
PRÓPRIA CURA

· · · · · · ·

Auto-
conhecimento

* * *

*– Qual o meio prático mais eficaz que tem o
homem de se melhorar nesta vida e de resistir
à atração do mal?
– Um sábio da antiguidade vo-lo disse:
Conhece-te a ti mesmo.*[17]

Faça silêncio interior, aproveite a enfermidade para observar o que seu inconsciente está expressando no corpo físico. Os sábios da antiguidade já diziam que não existem doenças e sim doentes. Infelizmente, hoje a Medicina se

---
[17] *O Livro dos Espíritos*, questão nº 919, Allan Kardec.

interessa mais pela doença do que pelo doente. Amiúde, órgãos são mais importantes do que a alma; as doenças são tratadas como celebridades e os doentes ficam escondidos nos bastidores.

A enfermidade revela quem você é e o que está se passando no seu mundo interior. A matéria é espelho da alma. O nosso corpo de agora fomos nós quem o criamos através dos nossos pensamentos e hábitos. A doença revela o que estava escondido nos escaninhos mais secretos da nossa mente. Tudo o que estava oculto se tornou visível para o nosso conhecimento e aprendizado. Valorize essa experiência de autoconhecimento. Seja um atento observador de si mesmo. A doença não é uma inimiga a vencer, é uma professora com quem temos muito a aprender.

Faça uma endoscopia espiritual. Converse com sua doença, pergunte o que ela veio lhe mostrar. Ninguém se cura verdadeiramente sem se olhar bem fundo com os olhos da alma.

A enfermidade nos tira do lugar comum, daí porque carecemos de recolhimento íntimo, de silêncio interior para uma autoanálise serena a respeito do que temos feito da vida e aonde pretendemos chegar.

Ao encontrar Jesus na estrada de Damasco, Saulo de Tarso, o perseguidor dos cristãos, envolvido pela luz resplendorosa do Mestre, caiu em terra e perdera a visão durante três dias[18]. A doença muitas vezes nos põe no chão, é um choque sem o qual não despertaríamos dos próprios pesadelos.

A cegueira que tomou conta de Saulo era um convite para que ele olhasse agora para dentro de si e adquirisse maturidade psíquica a fim de mudar o rumo de sua vida. E como mudou.

Aproveitemos esse encontro com Jesus através da doença – nossa estrada de Damasco – e também perguntemos com Saulo: "Senhor, que queres que eu faça?"

· · · · · · · ·

NINGUÉM SE CURA VERDADEIRAMENTE SEM SE OLHAR BEM FUNDO COM OS OLHOS DA ALMA.

· · · · · · · ·

---

[18] Atos: 9, 1-18.

Cura real

* * *

... se a consciência de uma pessoa se desequilibra, o fato se torna visível e palpável na forma de sintomas corporais. Por isso é uma insensatez afirmar que o corpo está doente: só o ser humano pode estar doente; no entanto, esse 'estar doente' se mostra no corpo como um sintoma. (Quando uma tragédia é representada no palco, não é o palco que é trágico, mas a peça teatral!).
T. Dethlefsen e Rüdiger Danlke[19]

Não trate apenas dos sintomas, tentando eliminá-los sem que a causa da enfermidade seja também extinta. A cura real somente acontece do interior para o exterior, do cerne para a forma transitória.

---

[19] *A Doença Como Caminho*, Cultrix.

Sim, diga a seu médico que você tem dor no peito, mas diga também que sua dor é dor de tristeza, é dor de angústia.

Conte a seu médico que você tem azia, mas descubra o motivo pelo qual você, com seu gênio, aumenta a produção de ácidos no estômago.

Relate que você tem diabetes, no entanto, não se esqueça de dizer também que não está encontrando mais doçura em sua vida e que está muito difícil suportar o peso de suas frustrações.

Mencione que sofre de enxaqueca, todavia, confesse que padece com seu perfeccionismo, com a autocrítica, que é muito sensível à crítica alheia e demasiadamente ansioso.

Muitos querem se curar, mas poucos estão dispostos a neutralizar em si o ácido da calúnia, o veneno da inveja, o bacilo do pessimismo e o câncer do egoísmo. Não querem mudar de vida. Procuram a cura de um câncer, mas se recusam a abrir mão de uma simples mágoa.

Pretendem a desobstrução das artérias coronárias, mas querem continuar com o peito fechado pelo rancor e pela agressividade.

Almejam a cura de problemas oculares, todavia não retiram dos olhos a venda do criticismo e da maledicência.

Pedem solução para a depressão, entretanto, não abrem mão do orgulho ferido e do forte sentimento de decepção em relação a perdas experimentadas.

Suplicam auxílio para os problemas da tireoide, mas não cuidam de suas frustrações e ressentimentos, não levantam a voz para expressarem suas legítimas necessidades.

Imploram a cura de um nódulo de mama, todavia, insistem em manter bloqueada a ternura e a afetividade por conta das feridas emocionais do passado.

Clamam pela intercessão divina, porém permanecem surdos aos gritos de socorro que partem de pessoas muito próximas de si mesmos.

Deus nos fala através de mil modos; a enfermidade é um deles e por certo, o principal recado que lhe chega da sabedoria divina é de que está faltando mais amor e harmonia em sua vida.

Toda cura sempre é uma autocura e o Evangelho de Jesus é a farmácia onde encontraremos os remédios que nos curam por dentro. Há dois mil anos esses remédios estão à nossa disposição. Quando nos decidiremos?

Farmácia de Deus

* * *

*Receberemos, pela oração, o concurso
espiritual, rogando a Jesus para que os nossos
corações sejam fortificados no caminho de dor
e luz em que nos encontramos.*
Bezerra de Menezes[20]

Muitas doenças poderiam ser evitadas se o homem cultivasse o hábito da oração. O mesmo tempo que se emprega para a queixa e a maledicência poderia ser

---

[20] *Apelos Cristãos*, psicografia de Francisco Cândido Xavier, Editora União Espírita Mineira.

dedicado ao contato com o Pai que nos ama, mas que, invariavelmente, encontra-nos com os ouvidos voltados para os desequilíbrios do mundo.

Quando se ora, muda-se a frequência energética para melhor, pois nos sintonizamos com as ondas do equilíbrio cósmico, sem as quais homem algum poderá gozar de saúde plena.

A oração é um banho de luz. Da mesma forma que cuidamos da higiene do corpo, sem a qual a saúde não se estabelece, a oração é uma ducha espiritual que nos lava dos detritos acumulados pelo entrechoque das tensões do dia a dia.

Jesus era um homem de oração, e mesmo até os dias de hoje podemos avaliar que Ele continua dialogando com o Pai através dos canais da prece. Sendo Jesus o nosso modelo, por que não faríamos o mesmo?

O fruto não amadurece quando se desprende prematuramente da árvore que lhe sustenta os nutrientes. O peixe não consegue viver fora de seu ambiente natural. Da mesma forma, o homem não conseguirá viver feliz e ter saúde longe do amor de Deus. A oração é, ao lado da caridade, o fio que nos liga ao Amor Divino pelas palavras que brotam do nosso coração.

No mais das vezes, não é a doença que nos martiriza, é a preocupação com a doença que nos deixa mais doentes ainda. A prece é o canal do socorro divino. Quando se ora, os remédios da coragem e da esperança nos são diretamente ministrados da farmácia de Deus.

Estejamos certos de que prece é remédio, e remédio que precisamos tomar pelo menos três vezes ao dia. Vamos começar agora?

. . . .

MUITAS DOENÇAS PODERIAM SER EVITADAS SE O HOMEM CULTIVASSE O HÁBITO DA ORAÇÃO.

. . . .

Socorro de Deus

* * *

*Você parou de culpar os outros e de reclamar.
Parou de procurar falhas. Parou de ser uma criança
zangada e ferida. Parou de tentar castigar o
mundo por abandoná-lo.
Parou de descarregar sua fúria e simplesmente
olhou nos olhos de Deus. E Ele piscou e disse,
'Bem-vindo ao lar'.*
Paul Ferrini[21]

Quando se está doente, você vai ao médico, não é mesmo? Se o carro quebrou, você procura o mecânico,

---

[21] *O Silêncio do Coração, Reflexões da Mente do Cristo*, Pensamento.

não é assim? Se estiver com um problema jurídico, você consulta um advogado, certo? Então, se Deus lhe deu esse corpo, se Deus é o autor da vida, por que razão você não se dirige a Ele para pedir socorro em suas dores?

Você quer um milagre? Lembre-se de que milagres são especialidades de Deus. Todo milagre, no entanto, pressupõe um ato de entrega, de rendição às forças divinas. Você precisa estar disposto a pular sem paraquedas de um avião e ter a certeza inabalável de que Deus irá salvá-lo.

Você sobe ao avião e confia nas habilidades do piloto. Você toma o ônibus e nem duvida da competência do motorista. Você se senta à mesa do restaurante e confia cegamente que a comida não está envenenada. Então, por que você não tem a mesma confiança em Deus? Lembre-se do que Deus nos fala pela boca do profeta Isaías: "Eis que nas palmas das minhas mãos eu te tenho gravado."[22]

Seu nome está tatuado nas mãos de Deus. O que isso significa? Significa que Deus é por você. Neste exato instante Deus sente suas dores, entende suas lágrimas, compreende seu desespero, enxerga que você está em um labirinto e não está encontrando a saída.

O primeiro dos Dez Mandamentos proclama que Deus libertou seu povo da escravidão. Deus continua com o mesmo propósito para nós, e tem um plano perfeito para

---

[22] Isaías: 49, 16.

nos curar. Para tanto, precisamos nos render a Ele e isso significa que, seja qual for a dificuldade presente, temos a certeza de que, por meios que desconhecemos, o socorro de Deus virá na hora certa.

Acha que Ele está muito ocupado? Seu Pai que criou o tempo, tem todo o tempo do mundo para cuidar de você.

· · · · · · ·

VOCÊ QUER UM MILAGRE?
LEMBRE-SE DE QUE MILAGRES SÃO
ESPECIALIDADES DE DEUS.

· · · · · · ·

Três remédios

* * *

Seja em relação à dor física ou à dor emocional, quando mantemos o mesmo comportamento, continua doendo.
Andrew Matthews[23]

Até quando você quer continuar sofrendo? Até quando vai continuar se ferindo com hábitos nocivos? Até quando vai se intoxicar com tantos sentimentos negativos? Até quando irá permitir que a raiva o devore por dentro?

---

[23] *Felicidade Aqui e Agora*, Sextante.

Curar é limpar toda essa carga mórbida que se acumulou em seu corpo físico. E somente o amor é capaz de fazer essa drenagem nas camadas mais íntimas do nosso ser, pois o amor é harmonia, é pureza, é vida gerando a vida. Escolha o amor no lugar do mal, e isso quer dizer que você estará escolhendo a saúde no lugar da doença, porque decidiu mudar seu comportamento.

Jesus de Nazaré nos indicou três remédios de larga eficácia para as enfermidades, que, uma vez utilizados, promoverão uma faxina interior capaz de restaurar a saúde. São eles: perdão, fé e amor.

Com o perdão você se limpa de mágoas e culpas e se livra de vibrações energéticas prejudiciais à sua saúde. Quando curava, Jesus frequentemente dizia aos enfermos: "Filho, perdoados estão os teus pecados."[24] Se Jesus viesse nos curar hoje, porventura ele encontraria nosso peito livre de mágoas e culpas?

Com a fé você aglutina forças divinas capazes de alavancar a cura das doenças mais atrozes. Certa mulher, que padecia de uma hemorragia uterina havia doze anos foi, instantaneamente, curada pelo simples fato de tocar as vestes de Jesus[25]. É claro que, conforme o próprio Jesus explicou, foi a fé daquela mulher que a curou.

---

[24] Marcos: 2, 5.
[25] Marcos: 5, 25-34.

Com o amor você mergulha em um estado de êxtase tão profundo que doença alguma é capaz de resistir. O amor volatiza toda a energia negativa acumulada em nosso campo psicofísico decorrente do nosso proceder distante daquele roteiro de vida que Jesus estabeleceu no Sermão da Montanha[26]. Por essa razão, os Espíritos de Luz proclamam que fora da caridade, isto é, fora do amor não há salvação[27]. Poderíamos complementar: fora do amor não há cura. O amor restaura, revigora, alegra, anima e fortifica. De que mais um doente precisa?

De receita na mão, vamos agora iniciar a nossa cura? Mãos à obra.

· · · · · · ·

O AMOR RESTAURA, REVIGORA, ALEGRA, ANIMA E FORTIFICA. DE QUE MAIS UM DOENTE PRECISA?

· · · · · · ·

---

[26] Mateus: 5, 1-12.
[27] *O Evangelho Segundo o Espiritismo*, Cap. XV, Allan Kardec.

Paciência é remédio

* * *

*Aceite total e completamente o que acontecer
a você para que possa apreciar e aprender,
e depois relaxar.*
Dr. Deepak Chopra[28]

Tudo ocorre para o nosso bem, ainda que não consigamos enxergar isso à primeira vista. Todo o mal encerra um grande bem. As dificuldades do caminho nos tornam mais fortes e preparados para tarefas superiores. Sem paciência com as pequenas derrotas ninguém chega ao sucesso.

---

[28] *O Caminho da Cura*, Rocco.

No campo da saúde, jamais alcançaremos a cura sem o concurso da paciência. Sem paciência com os contratempos que a doença nos causa, dificultaremos a própria recuperação. A paciência é um remédio poderoso, pois tem o poder de acalmar a irritação, a ansiedade e o azedume, três grandes bombas que arrasam a saúde e dificultam a cura.

Não por outra razão a ciência médica denomina o enfermo de "paciente" – aquele que tem paciência. Sem o exercício diário da paciência – da paciência com médicos, enfermeiros, exames, dietas, cirurgias e remédios, raramente encontraremos a cura.

A doença de agora foi construída ao longo de muito tempo. Portanto, a cura também precisa de tempo para se estabelecer, e esse tempo é mais ou menos proporcional à assimilação das lições que a enfermidade nos trouxe.

Sem paciência, aonde você pensa que chegará? Mais próximo da sepultura, talvez.

Não desconsidere que o período de uma enfermidade, seja ele qual for, é um tratamento de beleza do espírito. Você já reparou como, em regra, ficamos mais humildes e dóceis quando a doença nos imobiliza as atividades rotineiras? Já percebeu como a debilidade física causada pela enfermidade nos deixa mais conscientes das nossas fragilidades, diminuindo o nosso orgulho? Então, pacientemente agradeça a Deus seu embelezamento espiritual.

Tocou o alarme

* * *

Talvez a cegueira não passe de um pensamento escuro que pode ser dominado por um pensamento luminoso. Talvez um membro paralítico não signifique senão uma indolência que pode ser estimulada pela energia.
Gibran Khalil Gibran[29]

Pense a respeito: a doença é o caminho da cura. Através dela reencontraremos a paz, a harmonia e o sentido

---

[29] *Jesus, o Filho do Homem,* Associação Cultural Internacional Gibran.

da própria vida. Muitas vezes aprendemos as lições mais importantes da nossa existência pela via dos contrastes.

Raramente cuidamos da saúde quando tudo vai bem. Aliás, os momentos em que tudo parece correr bem são aqueles em que nos permitimos os maiores desequilíbrios.

Na juventude, por exemplo, quando dispomos de uma saúde de ferro, acabamos praticando os maiores desequilíbrios, cujas consequências virão mais tarde, na meia-idade.

Deus criou mecanismos em nós para que, ao sinal de um desequilíbrio mais acentuado em nosso proceder, um alarme dispare para nos avisar do perigo que estamos passando.

A inteligência divina que habita nosso ser dispõe de uma série de mecanismos que visam a manter o nosso equilíbrio. Por exemplo, o sono é o alarme avisando que seu corpo precisa de repouso. A fome é o alarme avisando que seu corpo carece de alimento. A febre é o alarme que anuncia alguma provável doença. Se não dispuséssemos desses avisos, não saberíamos quando deveríamos dormir, comer e combater a enfermidade, pondo em sério risco a nossa própria existência.

Quando soa um alarme de incêndio, medidas de emergência são tomadas para que o fogo não se alastre. Façamos o mesmo quando tocar o alarme da doença, a fim de que a enfermidade não ponha fogo no edifício da sua vida.

A criança cura

* * *

A criança que fui chora na estrada.
Deixei-a ali quando vim a ser quem sou.
Mas hoje, vendo que o que sou é nada,
Quero ir buscar quem fui onde ficou.
Fernando Pessoa[30]

  Muitos buscam a saúde para serem felizes. Estamos andando na contramão. Busquemos primeiramente a felicidade e a saúde virá por consequência. Esse é o roteiro proposto por Jesus ao nos ensinar que deveríamos em

---
[30] Poema - *A Criança que Fui Chora na Estrada*.

primeiro lugar buscar o reino de Deus, porque tudo o mais nos seria acrescentado.[31] A saúde é filha da felicidade, é consequência e não causa, é fruto e não árvore.

Muitos enfermos vivem mal-humorados, azedos, pessimistas e agressivos, portanto não buscam o reino de Deus em si mesmos, e por isso a lâmpada da saúde não se acende quando a mente está em trevas.

A felicidade produz um aroma tão espetacular que atrai todas as coisas boas em seu caminho. A doença se estabelece quando não estamos sendo capazes de sentir felicidade em nossa vida.

Onde, pois, encontrar a felicidade? Ela não está fora de você, não é um carro, uma casa, um emprego, uma pessoa. A felicidade é o produto de um estado de consciência que brota da satisfação de nos sentirmos realizados perante a vida. O homem se realiza quando ele emprega com sabedoria todos os potenciais de sua alma, fazendo aquilo que está de acordo com a sua natureza. Em palavras muito simples e resumidas, o ser humano é feliz quando ele coloca alegria em tudo aquilo que faz. E a alegria é um dos melhores tônicos para a saúde.

Quando, porém, o homem não realiza seu propósito de vida, quando não vibra na pauta da alegria, geralmente a alma se entristece em forma de doenças das mais variadas espécies. Muitos escolhem seus caminhos profissionais

---

[31] Mateus: 6, 33.

apenas com vistas à possibilidade de enriquecerem a qualquer custo. Trocam seus sonhos à custa de obterem status e segurança financeira. Depois gastam o que acumularam em remédios e tratamentos paliativos, pois os buracos da alma não se preenchem com nada que não seja a realização de si mesmo. O tédio e o vazio existencial são os agentes nocivos mais perigosos da nossa saúde.

Busque saber se a doença não é um grito de sua alma dizendo que está insatisfeita com a vida que você está levando. Ajuda muito nessa hora, voltar ao passado e reencontrar os sonhos da sua criança, pois os pesadelos de hoje são a sombra escura dos sonhos do ontem que não se viveram.

Há quanto tempo você não se permite fazer algo que alimente seu espírito de alegria e satisfação? Lembre-se da sua infância e irá se recordar o que, com muito pouco, você era feliz porque seus sonhos eram alimentados a todo instante. Com sua criatividade e imaginação, um simples cabo de vassoura se transformava na espada mágica de um super-herói. Com uma bola de meia em uma rua esburacada nos sentíamos como verdadeiros astros do esporte. E tomávamos chuva, andávamos descalços, ficávamos no sereno, vivíamos com as mãos sujas de terra, e quando doentes nos tratávamos com o farmacêutico do bairro. Tudo isso porque éramos felizes.

E por que agora você tem mais facilidades e não desfruta a mesma alegria de viver? Porque largou sua criança em algum trecho do caminho. A enfermidade é um convite para que você a reencontre. Conecte-se com sua criança interior, ela saberá apontar o que está faltando para você ser feliz. Busque cada vez mais fazer o que gosta e se não puder fazer tudo o que gosta, aprenda a gostar de tudo o que faz. Eis aí o segredo da felicidade.

Não permita que uma pessoa idosa habite seu corpo, pois isso é um passaporte para o mundo das enfermidades. Desperte a criança que ainda vive em você, deixe que ela lhe traga mais alegria, espontaneidade, curiosidade, espírito de aventura, contentamento, criatividade, divertimento e pureza. Aí está um verdadeiro laboratório de remédios poderosos para curar qualquer doença.

Jesus falou que somente entrarão no Reino dos Céus os que se assemelhem às crianças.[32] E poderíamos complementar que somente entrarão no reino da saúde os que viverem a felicidade de uma criança.

---

[32] Mateus: 18,3.

Mensageira da vida

* * *

O medo é fator dissolvente na organização psíquica do homem, predispondo-o, por somatização, a enfermidades diversas que aguardam correta diagnose e específica terapêutica.
Joanna de Ângelis[33]

O medo é um fator prejudicial ao nosso equilíbrio psíquico, em nada cooperando para a recuperação da saúde, quando não agravando as enfermidades.

---
[33] *Elucidações Psicológicas à Luz do Espiritismo*, psicografia de Divaldo P. Franco, LEAL.

Precisamos adoecer para tornar ao equilíbrio e valorizar a saúde e a própria existência. As enfermidades são mensageiras da vida a serviço da própria vida, têm a missão de restaurar nosso equilíbrio para evitar exatamente a morte. Se você não adoecesse, jamais perceberia os próprios desequilíbrios e não teria meios de corrigi-los.

A enfermidade não é dama de companhia da morte, por favor, rejeite logo essa ideia da sua mente. Se você cultivar o medo de morrer por conta das suas doenças, correrá sério risco de agravá-las, tornando muito difícil qualquer medida de cura em seu benefício.

É claro que um dia haveremos de deixar este planeta, a experiência física é transitória. Não morreremos, na verdade, apenas mudaremos de endereço; vamos para uma das moradas existentes na casa do Pai, como esclareceu Jesus[34].

Não podemos, no entanto, associar doença com morte, pois se agirmos assim estaremos dificultando qualquer chance de restauração de nossas forças. Inúmeras pessoas que há anos se tratavam de doenças tidas como incuráveis vieram a desencarnar por motivos outros, como uma queda em plena porta de casa, um acidente automobilístico, uma bala perdida.

Se cultivar o medo, tenha certeza de que você poderá antecipar seu regresso ao mundo espiritual, e isso não é boa notícia, pois tanto lá como cá, ninguém aprecia receber visita antes da hora marcada. Por isso, combata o medo

---

[34] João: 14,2.

com as armas da coragem e da fé. Narra o Evangelho que Jesus andou sobre as águas do mar. Pedro, seu discípulo, que presenciava a cena, tocado de admiração, também desejou fazer o mesmo. Jesus o convida para também andar sobre as águas. Pedro tenta, desce do barco e dá alguns passos ao encontro do Mestre. Mas, quando veio o vento forte, Pedro teve medo e começou a afundar. Jesus o salva dizendo: "Homem de pouca fé, por que duvidaste?"[35]

A doença pode ser o vento forte que hoje balança sua vida e faz nascer o medo, a dúvida e o temor. O medo faz com que você afunde nas águas das provações. Porém a fé, a certeza da vitória, a crença na cura farão com que você ande seguro sobre as águas das dificuldades.

Jamais pense que a enfermidade seja a porta-voz da morte, retire, com firmeza, essa ideia da mente, como quem não admite comida envenenada em seu prato. A doença tem por objetivo trazê-lo de volta ao equilíbrio e, a menos que você não queira se desapegar dos seus desequilíbrios, a cura é perfeitamente possível em qualquer tipo de doença.

Não existe no dicionário de Deus a palavra "incurável".

---

[35] Mateus: 15, 22-32.

Dieta mental

* * *

*Em tese, todas as manifestações mórbidas
se reduzem a desequilíbrio, desequilíbrio
esse cuja causa repousa no mundo mental.*
Emmanuel[36]

As células do nosso organismo se alimentam do mesmo teor dos nossos pensamentos. Tudo o que se passa na mente se passa no corpo. Você não é apenas o que come, é também o que pensa.

---

[36] *Vinha de Luz*, psicografia de Francisco Cândido Xavier, FEB.

Basta constatar como as lembranças tristes e amargas nos trazem sensações físicas desagradáveis. O corpo sente o que a mente pensa constantemente. Selecione seus pensamentos tanto quanto você seleciona os alimentos que leva à boca. Os bons pensamentos geram boas sensações corporais, e isto quer dizer que o corpo aprovou nosso modo de pensar. A sensação corporal é um excelente termômetro para medir a qualidade do nosso pensar. Jogue, imediatamente, fora todo e qualquer pensamento que lhe traga sensações físicas desagradáveis como aperto no peito, nó na garganta, tensão muscular, dor de cabeça.

Combata, principalmente, os pensamentos de medo, pois saiba que a doença somente terá o poder que você atribuir a ela. Você é maior do que a doença e ela não é sua inimiga. Pare de pensar em doença como castigo. Doença é auxílio, é o bem disfarçado de mal.

Conscientes disso, milhares de pessoas passaram a viver muito melhor depois que adoeceram, porque fizeram transformações positivas em suas vidas.

Procure pensar naquilo que você deseja que aconteça em seu caminho. Por equívoco, geralmente dirigimos o nosso pensamento para as coisas que não desejamos em nossa vida, quando deveria ocorrer o contrário. Pense naquilo que você quer e não no que você não quer. Se quiser se curar, pense na saúde e não na enfermidade. O Mestre Jesus nos deu uma grande chave para abrir as portas da cura ao afirmar que os olhos são como uma luz para o corpo: "Se os teus olhos forem bons, todo o teu corpo terá luz. Se, porém, teus olhos forem maus, o teu corpo será tenebroso."[37]

A cura depende da maneira como se olha para a vida. Um bom olhar, aquele capaz de trazer luz ao corpo significa um olhar de positividade, de fé, de alegria, de total confiança de que o bem em nossa mente faz entrar o bem em nossa vida.

· · · · · · ·

SE QUISER SE CURAR, PENSE NA SAÚDE E NÃO NA ENFERMIDADE.

· · · · · · ·

---

[37] Mateus: 6, 22-23.

Esvazie a xícara

* * *

Um mestre ofereceu chá ao discípulo. Enquanto o Mestre o servia, a xícara do discípulo ficou cheia e começou a transbordar. 'Por que continua a enchê-la', perguntou o discípulo. E o Mestre respondeu: 'Sua mente é como essa xícara, como posso deitar nela algo novo se antes você não a esvaziar de seus conteúdos?'

Nossa mente é como uma xícara. Quando estamos doentes é quase certo que a xícara esteja cheia, e cheia de líquido envenenado. Se você deseja a cura, convença-se de que, primeiramente, precisa esvaziar sua xícara para que um novo conteúdo saudável possa ser derramado.

Muitos enfermos vão aos santuários da fé em busca da cura, mas suas xícaras estão cheias de rancor, impaciência, preconceitos, desamor por si mesmos e animosidade em relação ao próximo. Será que há espaço em nossa mente para que o Poder Supremo entre e realize seus milagres?

Afastaremos a negatividade de nossa mente com pensamentos de paz, serenidade, alegria e amor. Não espere ter saúde para agir assim. Faça assim para ter saúde.

Aquietemos nossa mente agitada com a oração, com a contemplação da natureza, com o silêncio interior.

Deixemos que o amor flua de nós através dos gestos mais simples possíveis. Que o nosso sorriso seja puro, que a nossa respiração seja um ato de amor a nós mesmos, que o nosso olhar seja compassivo, que nossa língua silencie a maldade, que nossos gestos estejam impregnados de ternura. Dessa forma estaremos nos limpando de todos os venenos que o desamor fez contaminar nosso corpo.

Somente quando a xícara estiver vazia entraremos em um estado de relaxamento, no qual a cura se opera. Muitos estão tão obcecados pela obtenção da cura que acabam gerando mais tensão. O que gera a tensão é a preocupação com alguma coisa que não vai bem ou com algo de ruim que nos possa acontecer. E são exatamente esses sentimentos que precisamos abandonar porque eles reforçam uma situação da qual desejamos nos livrar.

O Mestre Jesus sempre demonstrou inabalável serenidade diante dos mais difíceis episódios da vida, porque sua mente estava vazia de temor e cheia de Deus. Havia tanta integração da mente do Cristo com a mente de Deus que o Mestre afirmou: "Eu e o Pai somos um."[38]

Abra, então, sua mente para receber a presença de Deus. Mas, para isso você precisa esvaziar a xícara. Do que ela está cheia?

· · · · · · ·

SOMENTE QUANDO A XÍCARA ESTIVER VAZIA ENTRAREMOS EM UM ESTADO DE RELAXAMENTO, NO QUAL A CURA SE OPERA.

· · · · · · ·

---

[38] João: 10,30.

Palavras que curam

* * *

Tu, que estás lendo, podes curar a ti mesmo e aos teus semelhantes pelo poder sem limites da palavra falada e escrita.
Ela pode ser um catalisador de forças que até então desconheces. Usa esse dom divino que o teu coração guarda, acionando-o pela mente.
Miramez[39]

Aprendemos com todos os mestres espirituais da humanidade que as palavras criam nosso destino e, portanto,

---

[39] *Saúde*, psicografia de João Nunes Maia, Fonte Viva.

criam também a nossa saúde ou doença. A palavra, quando repetida com sentimento, cria um campo magnético poderoso capaz de atrair a ideia expressada.

Jesus esclareceu: "Ainda não compreendeis que tudo o que entra pela boca desce para o ventre, e é lançado fora? Mas o que sai da boca procede do coração, e isso contamina o homem."[40]

Palavras são como sementes; existem as positivas e as negativas. Nós escolhemos quais delas alimentar. Vamos analisar o nosso vocabulário, carecemos observar o que está saindo da nossa boca, a fim de eliminar palavras e frases altamente doentias como:

– ainda morro disso...
– sofro de um terrível mal...
– meu organismo é fraco...
– minha saúde não vai bem...
– estou muito doente...
– se melhorar, estraga...
– estou piorando a cada dia...

Todo o processo de cura se estabelece na mente, passa pela boca e se completa no coração. Evite também palavras maledicentes, palavras que abrem feridas, que machucam o próximo, pois tudo isso será um veneno para nós mesmos.

Utilize frases que são verdadeiros remédios para a alma:
– sinto-me cada vez melhor;

---
[40] Mateus: 15, 17-18.

– meu corpo é abençoado por Deus;
– sou suficientemente forte para superar a enfermidade;
– a força divina me cura de todos os males;
– meu organismo é muito forte;
– eu sou luz, força e poder;

É verdade que toda cura começa na mente, mas passa também pelo que sai da nossa boca. Por isso fale somente o bem, tenha boas palavras para consigo mesmo, para com o próximo e para com médicos, enfermeiros, familiares e amigos, pois assim estará educando o seu corpo com a sabedoria das suas palavras.

·······

**PALAVRAS SÃO COMO SEMENTES;
EXISTEM AS POSITIVAS E AS NEGATIVAS.
NÓS ESCOLHEMOS QUAIS DELAS
ALIMENTAR.**

·······

Mente curável

* * *

A ideação da transformação interior, com a
consequente mudança de atitude para
a constante edificação pessoal, torna-se
eficiente psicoterapia, por modificar os campos
estabelecidos, e novas ondas de sutil energia
passarem a irradiar-se, alterando as estruturas
das partículas celulares, que se encarregarão
de restabelecer as áreas afetadas,
produzindo a saúde.
Bezerra de Menezes[41]

---

[41] *De Bezerra de Menezes para Você*, psicografia de Divaldo P. Franco, Didier.

Crie cada vez mais paisagens mentais alegres, otimistas, saudáveis. Na mente pessimista está a maioria das nossas doenças. A mente pode ser comparada a uma casa. A doença e a saúde são como duas pessoas que gostariam de morar com você e que têm gostos muito diferentes. Ao contrário da saúde, a doença não aprecia casa limpa, arejada, enfeitada de amor e paz.

Existe grande diferença entre ser doente e estar doente. Cuidado com isso. Quem se julga um doente define a própria natureza, algo permanente e, portanto, com reduzidas chances de mudar. Mas, quem está doente revela uma condição momentânea, passageira. Quem é permanece. Quem está deixará essa condição a qualquer momento. Jamais pense ou diga "eu sou doente". Diga apenas "eu estou doente".

É na mente que fazemos essa diferença. A pessoa que se enxerga doente acredita que sua natureza é assim, como se a doença fosse a pele que revestisse seu corpo. Ela cria toda uma atmosfera enferma, pois se comporta como doente, veste-se como doente, fala como doente e pensa como doente. Diria que nesses casos os prognósticos de cura são impossíveis se a pessoa não mudar a percepção da enfermidade em sua vida.

O ambiente que criamos em nossa mente definirá nossas chances de cura ou manutenção da enfermidade. Vamos arejar nossa mente com otimismo, boas conversas, boas companhias, leituras edificantes, música agradável, ideias fraternais e muito bom humor, pois com isso a saúde residirá conosco.

Toda ajuda espiritual em favor da saúde depende da existência de um ponto de contato entre nós e as forças divinas. Nas curas que realizava, Jesus nunca prescindiu de um mínimo de colaboração dos enfermos. Ele exortava a todos que o buscavam, o exercício da fé e a necessidade de uma conversão de vida. A Providência Divina jamais nos favorecerá com alguma cura sem que perceba em nós o brotar das sementes da transformação interior.

É preciso haver alguma ressonância entre a nossa vibração e a vibração divina, um ponto em comum que nos ligue, por semelhança, às forças curativas. Deus é o auxílio constante. Exatamente neste instante Ele o inunda de energias amorosas aptas a curá-lo. Mas, será que já nos colocamos em condições espirituais para recebermos a cura?

Regeneração

* * *

*Os santos são pecadores que não desistiram.
Um diamante terá menos valor só por
estar coberto de lama? Deus vê a beleza
imutável de sua alma. Ele sabe que nós não
somos os nossos erros.*

Yogananda[42]

Recuperar a saúde depende da nossa capacidade de regeneração íntima diante dos revezes da vida. A cristalização de sentimentos negativos impedirá que as próprias células e órgãos também se regenerem diante dos inevitáveis insucessos que todos experimentam na jornada.

Regeneração interior é palavra chave quando se pensa em cura. Nosso corpo foi concebido por Deus com

---
[42] *Onde Existe Luz*, Self-Realization Fellowship.

essa incrível capacidade de restauração. Basta ver o que acontece quando você tem algum ferimento. Sem a sua vontade, o corpo desenvolve mecanismos para fechar a lesão, cicatrizando-a.

Quando o corpo adoece, todo o nosso sistema de defesa entra em alerta para debelar o mal e restaurar o equilíbrio da saúde. No entanto, esse poder regenerador pode ser afetado quando nossa mente se recusa a fechar as feridas da alma, e geralmente isso ocorre por causa do nosso orgulho. Se nos olharmos bem fundo, perceberemos que a maioria das nossas enfermidades nasce das nossas crises de orgulho ferido.

Quanto mais as ocorrências tristes do passado estiverem ocupando espaço em nosso coração, mais as células e órgãos viverão sob o fluxo de energias deletérias, minando nosso sistema de recuperação da saúde. Como se deve trocar o óleo de um veículo de tempos em tempos, a fim de que as impurezas acumuladas não danifiquem as engrenagens do motor, precisamos também injetar óleo novo no carro de nossa vida, pois o cultivo das reminiscências negativas faz o corpo adoecer.

Há pessoas que insistem em dramatizar e reavivar constantemente os episódios infelizes vividos, tanto aqueles em que se sentiram vítimas, como aqueles em que foram os algozes da infelicidade alheia. São prisioneiras de suas próprias histórias. Assim agindo, acumulam perigoso lixo mental responsável pelo declínio das suas forças naturais de restauração da saúde. Vivem sempre enfermas porque não se cansam de mexer no lixo.

Em seu encontro com a mulher adúltera, o Cristo não lhe atira pedras de recriminação. Antes, porém, propõe-lhe um novo roteiro de vida: "Vai-te e não peques mais."[43]

Tiremos logo a lama de nossos olhos, para que assim sejamos capazes de enxergar que hoje é um novo dia, e que o melhor tempo para recomeçar, refazer o caminho e seguir adiante se chama agora.

· · · · · · ·

SE NOS OLHARMOS BEM FUNDO,
PERCEBEREMOS QUE A MAIORIA DAS
NOSSAS ENFERMIDADES NASCE DAS NOSSAS
CRISES DE ORGULHO FERIDO.

· · · · · · ·

---

[43] João: 8,11.

Não aceite

* * *

*Sem a melodia do perdão, não pode existir
música nos sentimentos. Esquece todas as
ofensas e não deixes que quem te fira te irrite.
Se abrires as portas da revolta,
por elas adentrará o magnetismo do ódio, o
qual desagrega as energias benfeitoras que o
amor fez reunir em teu coração. 'A desculpa,
nessa hora, é o amparo contra as investidas
das sombras...'*
Miramez[44]

Não aceite mais ficar magoado, não aceite mais ficar decepcionado com a vida ou com quem quer que seja. Você está ciente de que escolher a mágoa e a desilusão é escolher a doença.

---

[44] *Saúde*, psicografia de João Nunes Maria, Fonte Viva.

Livre-se das interpretações dramáticas que fez a respeito do que lhe aconteceu. Os fatos são os fatos, tudo depende da maneira como os interpretamos. Uma leitura doentia, mórbida, baseada apenas na observação dos aspectos negativos das pessoas e circunstâncias, turvará nossas paisagens mentais com as mesmas tintas obscuras com que enxergamos a vida. Dessa forma, as sombras da mente se deitarão sobre a saúde do corpo.

Jesus passou pelas mais dolorosas experiências e nem por isso saiu vencido da cruz. No auge do martírio, o Mestre pediu a Deus que perdoasse a seus ofensores. Ele não aceitou a mágoa e o ódio. Se nós proclamamos Jesus como Mestre, por que não fazemos o mesmo?

Vencer o mundo da doença é colocar-se acima das desilusões e mágoas, e isso somente será possível se tivermos ânimo e boa vontade para recomeçar e seguir adiante.

Além do mais, se não perdoarmos a quem nos ofende, com que direito pediremos o perdão ao próximo quando for a nossa vez de errar? Quando não perdoarmos, abriremos portas para que nos liguemos às vibrações negativas daqueles a quem prejudicamos, e isso é uma bomba explodindo a nossa saúde.

Estejamos convencidos: o perdão é um dos remédios mais importantes indicados pelo Cristo. Quem vai ao Médico Jesus para se curar, sai com essa receita na mão.

A doença é o caminho da cura

* * *

Não te perturbes, pois, diante da luta, e observa.
O que te parece derrota, muita vez é vitória.
E o que se te afigura em favor de tua morte,
é contribuição para o teu engrandecimento
na vida eterna.

Emmanuel[45]

---

[45] *Fonte Viva*, psicografia de Francisco Cândido Xavier, FEB.

Deus não está jogando dados. Quando a vida traz um "não", há sempre um "sim" oculto em alguma parte do quebra-cabeça da nossa existência. As vitórias não são apenas constituídas de pequenas conquistas, mas também de muitos fracassos.

A enfermidade nos ajuda a entender e a conquistar a saúde.

Só encontra o caminho aquele que está perdido.

Só se cura quem está enfermo.

Só sabe amar aquele que andou pelo deserto da solidão.

Somente encontra plenitude de viver aquele que sentiu o vazio existencial.

Somente se torna virtuoso aquele que passou pela estrada do erro.

O ponto mais escuro da noite é onde se inicia o alvorecer de um novo dia.

Visitado pela dor, não se entregue ao desalento. Siga em frente porque você está a poucos passos de encontrar a cura para suas dificuldades. Ore e confie, o Médico Jesus está atento e por perto. Caminhe ainda que a passos lentos, saiba que a resolução de todo e qualquer problema somente surge se você não desistir de viver.

Converse com seu travesseiro

* * *

*O maior restaurador de forças é a consciência
reta que asserena as emoções.*
André Luiz[46]

A consciência tranquila é base da nossa harmonia interior, e sem harmonia íntima o homem jamais logrará a saúde integral.

---
[46] *O Espírito da Verdade*, psicografia de Francisco Cândido Xavier, FEB.

Todas as vezes que nossa consciência estiver perturbada por alguma falta cometida, nossas energias entram em desequilíbrio e isso é uma porta larga para muitas doenças que a Medicina ainda não conseguiu explicar.

Nossos erros poderão permanecer ocultos dos tribunais terrestres, mas a consciência nos lembrará de todos os lances em que prejudicamos o patrimônio físico, moral e espiritual do nosso próximo. Essas lembranças são incorruptíveis, não desaparecem por subterfúgios. Apenas se deletam quando nos reequilibramos perante a Lei do Amor mediante a recomposição dos danos provocados por nosso egoísmo. Quantos benefícios o perdão e a prática da caridade podem fazer em benefício da nossa paz e, portanto, da nossa saúde.

Seu travesseiro é um grande terapeuta, consulte-o para avaliar se, antes de qualquer remédio, você não está precisando mesmo é se reconciliar com seu irmão, solicitando perdão para seus atos.

Não podemos ignorar que as pessoas a quem prejudicamos podem estar projetando vibrações negativas em nosso desfavor, vibrações que assimilaremos todas as vezes que transitarmos pela faixa do erro. Muitas pessoas temem desenvolver um câncer, mas poucas avaliam o perigo que representa para nossa saúde uma vibração de ódio contra nós mesmos.

Nosso organismo foi concebido para se alimentar de amor e paz. Todas as vezes que damos ao corpo outro combustível, criamos obstáculos à nossa saúde.

Não por outra razão, Jesus recomendou-nos a necessidade de reconciliação urgente com nossos adversários, enquanto estivermos a caminho com eles[47]. Estar em paz com o próximo é garantir saúde para si mesmo.

Que tal darmos o primeiro passo formulando uma oração em benefício daqueles a quem prejudicamos? É assim que iniciaremos nossa cura sob as bênçãos do Médico Jesus.

· · · · · · · ·

MUITAS PESSOAS TEMEM DESENVOLVER
UM CÂNCER, MAS POUCAS AVALIAM
O PERIGO QUE REPRESENTA PARA
NOSSA SAÚDE UMA VIBRAÇÃO DE ÓDIO
CONTRA NÓS MESMOS.

· · · · · · · ·

---

[47] Mateus: 5, 23-26.

Para receber alta

* * *

A vida não é 100% negócio sério.
A alegria e a brincadeira despreocupada
também nos ajudam na cura.
Olhando nossa situação a partir de ângulo
diferente, conseguimos dissipar a nuvem
de desespero que às vezes paira
sobre nossa cabeça.
Bryan E. Robinson, PhD.[48]

---

[48] *Viver a Vida ao Maximo*, Paulus.

Se você está acamado, pense nisso com atenção:
- a irritação somente agrava a enfermidade;
- o medo aprisiona sua força interna de cura;
- a descrença enfraquece o poder dos remédios;
- o pessimismo cerra as portas para qualquer auxílio espiritual que venham a lhe prestar;
- a revolta afasta a simpatia das pessoas encarregadas de lhe oferecerem amparo;
- o desespero é porta aberta a novas doenças;
- a tristeza faz abater o ânimo de suas células;

Por pior que lhe pareça a situação, aguente firme, saiba que qualquer prognóstico de cura passa necessariamente por uma mudança positiva dos seus humores.

O apóstolo Paulo recomenda que sejamos transformados pela renovação das nossas mentes[49]. A doença quer provocar exatamente isso: uma renovação da sua maneira de entender o mundo. Os dias em um leito podem ser excelentes para esse propósito.

Você não quer sair logo da cama? Então comece mudando um pouquinho o seu humor. Seja mais gentil com as pessoas à sua volta, brinque com os enfermeiros, seja simpático com as visitas, tente ao menos um sorriso. Cultive a esperança, pois suas células são como soldados que

---
[49] Romanos: 12, 2.

obedecem ao comando da sua mente. Quem abandona a esperança, abandona também a saúde.

Mudemos a percepção da situação, procuremos extrair os aspectos positivos que a enfermidade nos trouxe. Eles existem, sim. Basta ter boa vontade para encontrá-los. Não sejamos tão ranzinzas. A saúde corre dos birrentos.

Não levemos tão a sério a doença, não fiquemos tão ligados a bulas, exames e sintomas, tampouco aos prognósticos sombrios dos médicos. Saibamos que Deus tem estradas para você onde os médicos não encontram mais caminhos.

Já está um pouquinho melhor, não é mesmo?

· · · · · · ·

SAIBAMOS QUE DEUS TEM ESTRADAS
PARA VOCÊ ONDE OS MÉDICOS NÃO
ENCONTRAM MAIS CAMINHOS.

· · · · · · ·

O poder da atenção

* * *

Mas a criatura, quase sempre, cai é pelo óbvio.
É óbvio, mas a gente se esquece.
Então, uma fraterna lembrança em torno dos
nossos deveres imediatos nunca é demais.
Chico Xavier[50]

Ninguém tropeça em montanha. Tropeçamos em pedras pequenas quase que todos os dias, e o acúmulo de nossas pequenas quedas é que nos leva muitas vezes ao chão das enfermidades.

---

[50] *Doutrina Viva*, psicografia de Carlos A. Baccelli, Didier.

Cuidado com as pequenas pedras, pois elas nos parecem inofensivas. Quando os excessos à mesa se repetem, quando os abusos da bebida se sucedem, quando o descontrole emocional não cessa, tenha certeza de que o corpo vai apresentar mais tarde a conta dos nossos desequilíbrios. Tropeçar em pedra pequena pode ser um pequeno suicídio.

Um método eficiente para evitar esse mal consiste em você identificar primeiramente as pedras, nas quais tem tropeçado e, ao avistá-las em seu caminho, ativar firmemente o poder da sua atenção. Conscientize ao máximo sua ação de comer, beber, falar, agir ou qualquer outra conduta que você esteja querendo modificar.

Por exemplo, pesquisas demonstram que pessoas que se alimentam diante da televisão geralmente comem 30% a mais do que o habitual. Comem mais porque perdem a atenção no ato de comer por causa da atenção que dedicam à televisão.

Tropeçamos nas pedras sem olhar para elas. Comemos sem sentir o gosto da comida. Falamos sem pensar no que vamos dizer. Agimos sem pensar nas consequências. Estamos ao lado das pessoas e nem sempre estamos com elas.

Quando colocamos nossa mente em alerta, as pedras vão naturalmente desaparecendo, como se colocássemos uma bola de sorvete perante o sol, que derreteria em poucos minutos. Por essa razão, o autoconhecimento é indicado pelos Espíritos de Luz como o caminho mais eficaz para melhorarmos nesta vida.[51] Quanto mais nos observarmos, sem nenhum propósito de autocondenação, mais lucidez teremos sobre o nosso comportamento, mais cientes estaremos sobre onde se encontram as pedras nas quais tropeçamos, e assim poderemos evitá-las naturalmente, sem nenhuma tensão.

Jesus viveu com extrema atenção sobre as próprias atitudes e situações que experimentava. Chorou quando era preciso chorar. Comeu quando tinha fome e jejuou quando era preciso fortalecer seu espírito. Festejou quando o momento era de festa. Falou com doçura quando estava diante dos pecadores, mas não deixou de ser enérgico com os fariseus e hipócritas.

Por isso, o Mestre é o caminho, a verdade e a vida para todos nós que vivemos a doença da desatenção.

· · · · · · ·

**TROPEÇAR EM PEDRA PEQUENA
PODE SER UM PEQUENO SUICÍDIO.**

· · · · · ·

---
[51] *O Livro dos Espíritos*, questão nº 919, Allan Kardec.

Terapia da gratidão

* * *

Uma vez entendido o sentimento da
gratidão, e permitido que ele se aprofunde em
você, começará a se sentir grato por tudo.
E, quanto mais grato você ficar, haverá menos
queixas e menos resmungos.
Uma vez desaparecidas as queixas,
a infelicidade desaparecerá.
Esse é um dos segredos mais importantes a
serem aprendidos.
Osho.[52]

---

[52] *Osho Todos os Dias*, Verus Editora.

A gratidão é uma das mais eficientes terapias espirituais para a saúde, porque o ato de agradecimento faz com que o corpo libere endorfinas[53] na corrente sanguínea, substâncias que fortalecem o sistema imunológico, favorecem a dilatação das artérias, relaxando o aparelho circulatório.

Já a queixa provoca um acréscimo desnecessário de adrenalina na circulação, contribuindo para o enfraquecimento do sistema de defesa e para o risco de derrame e doenças cardíacas.

A doença sinaliza muitas vezes a falta de alegria em nossa vida, e a gratidão é a grande alavanca do contentamento. A ingratidão, por sua vez, demonstra a teimosia que temos em não enxergar quanta coisa boa já nos ocorreu e ainda nos ocorre, todos os dias e isso nos afasta da felicidade e da saúde. Certamente por isso o apóstolo Paulo afirmou ter aprendido a contentar-se com tudo.[54]

Dos lábios de Jesus jamais alguém registrou alguma palavra de reclamação. Embora na condição de Governador Espiritual da Terra habitasse esferas espirituais resplandecentes, não se queixou ao viver os trinta e três anos de sua vida nas faixas sombrias do planeta. Tendo enfrentado as mais rudes provações, sem merecê-las, jamais esboçou qualquer gesto de fastio diante da cruz a que foi condenado. Convivia com doentes e equivocados,

---

[53] Hormônio presente no cérebro, com ação analgésica.
[54] Filipenses: 4,11.

sem mostrar qualquer gesto de repugnância, ao revés, a todos mostrou o carinho do seu afeto e apontou caminhos para a libertação de suas dores.

Nós que padecemos da enfermidade da ingratidão, aprendamos com o Médico Jesus, pois não nos basta pedir-Lhe a cura se nos recusamos a seguir suas prescrições.

Quando focalizamos aquilo que parece errado em nossa vida, costumamos esquecer aquilo que está certo. Costumamos nos queixar de um determinado órgão que está enfermo, mas será que já agradecemos aos demais que funcionam perfeitamente?

Talvez alguns dias em um leito hospitalar nos façam descobrir a importância da gratidão. Presos a uma cama perceberemos o quanto éramos felizes antes da doença pela simples faculdade de andar alguns passos. E quantos passos nós não demos, presos a reclamações inúteis?

Geralmente não observamos o milagre das pequenas coisas que ocorrem todos os dias em nossa vida. O fato de você estar respirando neste momento é um grande milagre, já se deu conta disso? Tente sentir as batidas do seu coração, imagine o sangue percorrendo uma extensão considerável de vasos e artérias. Pense na complexidade do processo digestivo, transformando alimentos em nutrientes para a sua sobrevivência. E tudo isso ocorre sem a sua direta colaboração. Quantos milagres ocorrem todos os dias em nosso corpo e não damos a mínima importância.

Converse carinhosamente com seu corpo. Agradeça a todos os seus órgãos o esforço e o trabalho que eles têm feito a seu favor durante todos esses anos. Desculpe-se também por não ter dado a eles a devida atenção e cuidado.

Agradeça também a doença que o visita, na certeza de que ela é o remédio necessário à cura de um dos mais terríveis males que acometem o ser humano, que é a falta de gratidão.

Não esqueça que, para ser abençoado pela vida, você primeiro precisa abençoá-la também.

·······

A DOENÇA SINALIZA MUITAS VEZES
A FALTA DE ALEGRIA EM NOSSA VIDA,
E A GRATIDÃO É A GRANDE ALAVANCA
DO CONTENTAMENTO.

·······

Sem preocupação

* * *

Para que os nossos irmãos convalescentes apresentem melhoras expressivas e seguras, pedimos-lhes, de nossa parte, manterem o pensamento a cavaleiro de preocupações absorventes, a fim de que as suas energias se refaçam com a solidez necessária.

Bezerra de Menezes[55]

Evite a preocupação, pois ela consome nossas melhores energias, que antes deveriam ser canalizadas para a

---

[55] *Apelos Cristãos*, psicografia de Francisco Cândido Xavier, União Espírita Mineira.

resolução das dificuldades orgânicas. A preocupação gera tensão e ansiedade, cujas emoções aumentam a produção dos hormônios responsáveis pelo estresse.

Sem que estejamos com a mente livre de temores, dificultaremos qualquer processo de cura.

Diante de um problema, avalie: se algo puder ser feito, faça logo e não se preocupe. Muitas pessoas vivem preocupadas com seus problemas e doenças, mas estão com as mãos desocupadas e com as horas vazias de tédio. Deus jamais fará algo que nós mesmos já temos condições de fazer. Em regra, quem muito se preocupa pouco se ocupa.

Todavia, se nada mais puder ser feito, também não há razão para se preocupar porque a resolução do problema já não está mais em suas mãos. Nesse caso, deite-se e vá dormir, pois Deus permanece acordado trabalhando pelo melhor em seu benefício. No relaxamento está a cura para muitas das nossas enfermidades.

Relaxar é soltar os pensamentos de temor, deixando que eles se afastem de você como um balão que se perde no céu. Todas as nossas aflições são frutos de um determinado pensamento, e pensamento é algo que poderemos mudar a qualquer tempo.

Por que pensar no pior se você pode pensar no melhor? Por que acreditar na doença e não na saúde? Por que não deixar que a sabedoria divina que habita em você realize o trabalho de cura? Por que você não dá uma chance a Deus?

Alguém bate à sua porta

* * *

*Eis que estou à porta e bato; se alguém ouvir
a minha voz, e abrir a porta, entrarei em sua
casa, e com ele cearei, e ele comigo.*
Jesus[56]

Pode ser que neste momento você se encontre exausto pelo sofrimento e pensando em entregar os pontos. Pode

---

[56] Ap: 3,20.

ser que esteja cansado de médicos, remédios e cirurgias. Pode ser que tenha acabado de receber o diagnóstico de uma doença incurável e esteja achando que a única coisa que lhe resta é dar fim à própria vida.

Pare e espere por um minuto apenas. Alguém bate à sua porta. Alguém quer entrar para estar ao seu lado, dialogar com você. É Jesus que o visita, pois sabe dos seus sofrimentos e deseja ajudá-lo. Ele lhe faz um convite: "Vinde a mim, todos os que estais cansados e oprimidos, e eu vos aliviarei."[57]

O Cristo, como o grande médico de nossas almas, oferece-nos alívio para o cansaço e o desespero. É disso que precisamos para continuar vivendo: uma trégua em meio às lutas do caminho. O alívio nos permite recuperar as forças e continuar a marcha com mais confiança, na certeza da vitória que nos aguarda se não desistirmos.

Jesus prometeu aliviar o peso das nossas aflições. Ele cumpre sua promessa. Ele tem feito isso todos os dias, milhares de vezes, em todas as partes do mundo e fará o mesmo por você neste instante.

Mas, para receber esse amparo precisamos ir ao encontro Dele. Eis o convite: "Vinde a mim...". Ir ter com Jesus não se resume em procurá-lo em algum templo religioso. É abrir-se para a possibilidade de encontrar o Nazareno, é acreditar que Ele deseja ampará-lo. O Mestre bate à porta

---

[57] Mateus: 11,28.

do seu coração. Ele tem mil modos para fazer isso, quem sabe este singelo livro seja a forma que Ele encontrou para lhe dizer: "Olha, estou aqui, não tema, sou eu."

E quando aceitamos o convite que Jesus nos faz, precisamos saber como iremos a esse encontro? Quando pretendemos encontrar alguém especial ou muito importante, geralmente nos vestimos bem, escolhemos a nossa melhor roupa. E para encontrar Jesus, com que vestimentas nos apresentaríamos?

Será que iríamos vestidos de arrogância?

Será que levaríamos na mala os nossos rancores?

Porventura chegaríamos diante do Mestre mostrando todo o nosso azedume?

Aproveitaríamos o encontro para listar nossas críticas e reclamações?

Mostraríamos todos os nossos preconceitos?

Exibiríamos a nossa descrença?

Ir ao encontro de Jesus é uma viagem em que a bagagem das nossas mesquinharias precisa ser deixada para trás. Somente assim encontraremos o alívio prometido.

Temperança

* * *

Indubitavelmente, quando um homem comete um excesso qualquer, Deus não profere contra ele um julgamento, dizendo-lhe, por exemplo: Foste guloso, vou punir-te. Ele traçou um limite; as enfermidades e muitas vezes a morte são as consequências dos excessos. Eis aí a punição; é o resultado da infração da Lei. Assim em tudo.[58]

Jesus prescreveu o remédio da "vigilância" para nossas dificuldades. Vigiar é observar-se com atenção. Fiquemos atentos para os reais motivos que nos fazem descer as escadas do desequilíbrio.

---

[58] *O Livro dos Espíritos*, questão nº 964, Allan Kardec.

O que nos leva a comer exageradamente? O que nos faz beber além da conta? O que nos impulsiona a falar mal do próximo? O que nos faz perder o humor? O que nos leva ao pessimismo? O que nos faz ficar revoltados contra tudo e contra todos?

Geralmente caímos em tais situações sem notar os gatilhos que as disparam. Observá-los, atentamente, representará o primeiro e fundamental passo em favor da nossa cura. Vigiar para não cair em tentação, ensinou Jesus. Vigiar para evitarmos os excessos de toda a ordem, pois são eles que levam a saúde para a UTI.

A saúde pede temperança. Tudo nos é permitido desde que tenhamos moderação. Vamos nos olhar com mais amor e verificar onde estamos nos descontrolando, pois do contrário o carro da nossa vida vai bater no poste do primeiro hospital ou do cemitério mais próximo.

Amiúde não abandonamos comportamentos nocivos, mesmo ciente deles, porque, de certa forma, eles nos dão algum tipo de prazer. Daí porque preferimos ficar com o prazer de agora em detrimento de um sofrimento futuro. É preciso muita atenção com esse mecanismo perigoso. A vigilância nos ajuda a inverter esse raciocínio para identificarmos, desde agora, o sofrimento que nossos hábitos nocivos já estão produzindo.

Ou nós, por exemplo, vamos querer experimentar todas as doenças causadas pelo cigarro para saber dos prejuízos que o fumo acarreta?

Para melhorar agora

* * *

A vitalidade divina se derrama sobre mim e hauro-a em excelente disposição emocional. Liberto-me das cargas tóxicas do desgaste psicológico. Sou de procedência saudável. A doença é acidente de percurso, que me não impede a marcha. Sadio e confiante avanço, vitalizado pelo hálito da Fonte Geradora da Vida.
Joanna de Ângelis[59]

---

[59] *Momentos de Saúde*, psicografia de Divaldo P. Franco, LEAL.

Se você se sente abatido, faça alguma coisa para sair desse estado de prostração íntima. Isso é um veneno perigoso para a saúde. Você não precisará de grandes feitos para espantar a apatia. Levante-se logo da cama ou do sofá e experimente, por exemplo:

– tomar um banho;
– fazer uma prece;
– ler algo edificante;
– ouvir ou cantar uma canção agradável;
– conversar com um amigo;
– caminhar por quinze minutos no quarteirão de sua casa ou dar pelos menos alguns passos em volta da cama se estiver adoentado;
– modificar a posição de alguns móveis da sua casa;
– prestar um favor a quem passa por maiores dificuldades que as suas;
– fazer uma lista de todas as coisas boas que já lhe ocorreram;
– limpar suas gavetas;
– engraxar os sapatos;
– cultivar uma flor ou um jardim;
– dar uma boa risada;

O importante é interromper o quanto antes o circuito da melancolia fazendo algo de bom por si mesmo, a fim de que Deus não o encontre de braços cruzados esperando a morte chegar.

Ajude seu médico

* * *

Resultaram consequências terríveis naqueles homens e mulheres (médicos) que se viram obrigados a asfixiar as emoções, anular os sentimentos e parecerem estátuas de sal diante da dor do seu próximo. Não poucos se neurotizaram, se debilitaram, se autodestruíram.
Joanna de Ângelis[60]

Você já pensou em orar em favor do seu médico? Saiba que ele, apesar de todo o conhecimento científico, é um ser humano com problemas e conflitos. Muitas vezes, você

---

[60] *Jesus e o Evangelho à Luz da Psicologia Profunda*, psicografia de Divaldo Pereira Franco, LEAL.

no consultório se queixa de uma simples dor de cabeça, enquanto seu médico carrega doenças alarmantes.

Tenha simpatia por aquele em cujas mãos repousa a sua saúde. Seja agradável durante a consulta, envolva-o em vibrações de carinho e paz desejando a ele a mesma saúde que você está buscando para si.

Enquanto estiver na sala de espera aguardando a consulta, leia um bom livro, faça uma prece silenciosa em favor daquele em cujas mãos repousam a sua e a saúde de muitos.

Tal qual ocorre a qualquer ser humano, o médico também pode ser inspirado positivamente pelos Guias de Luz na formulação de diagnósticos e receitas, bem como durante as cirurgias. Qual médico poderia em sã consciência dizer que prescinde do auxílio divino?

A oração sincera em favor do seu médico é excelente canal condutor das bênçãos divinas para o restabelecimento da saúde. Visualize com intensidade o Médico Jesus iluminando a mente dos médicos e enfermeiros responsáveis pelo seu tratamento, e peça que a Luz Divina favoreça a cada um deles também com bênçãos de saúde e paz.

Quando estiver em hospitais, clínicas e laboratórios, também mantenha a elevação dos pensamentos para que você também não se contamine com a carga tóxica de mentes outras atoladas na aflição inconsequente.

Comece sua cura antes mesmo de ser atendido pelo médico. Não se esqueça de que a vida funciona segundo a lei da reciprocidade: cada um recebe aquilo que dá.

Uma boa noite de sono, um dia de saúde

* * *

A pressão arterial e a frequência cardíaca atingem os níveis mais baixos durante o sono; quem dorme menos tende a ter pressão mais alta. A associação entre hipertensão e duração do sono poderia explicar outras conclusões da pesquisa que vinculam a falta de sono ao aumento do risco de infarto, diabete, ganho de peso e outros problemas.
Lori Miller Kase[61]

---

[61] Artigo publicado na Revista Seleções, *Reader´s Digest*, agosto de 2008.

Ter uma boa noite de sono também é importante para a saúde. Quem dorme menos do que precisa tende a liberar mais os hormônios do estresse que acarretam danos à saúde. Dormir pouco é uma excelente maneira de enfraquecer nosso sistema nervoso.

Durante o sono, o espírito se liberta temporariamente do corpo e capta no mundo astral energias de elevado poder tonificante, que manterão o corpo saudável e rejuvenescido. Isso explica o motivo pelo qual os hormônios do crescimento, responsáveis pelo rejuvenescimento, são fortemente liberados quando estamos dormindo.

Há quem durma demais, há quem durma menos do que precisaria. Procure observar seu corpo e descubra quantas horas diárias de sono são necessárias para que você desempenhe suas tarefas com disposição física e bom humor. Respeite as necessidades do seu corpo, pois assim garantirá mais saúde e longevidade.

Evite cafeína, nicotina, álcool, exercício físico e luzes fortes na hora de dormir. Mas, não se esqueça também de fechar as gavetas das preocupações, pois do contrário o armário da sua mente não se fechará para o sono reparador.

Durante as horas reservadas para o sono, você não conseguirá dinheiro para pagar as contas, não arrumará emprego, não fará nenhum exame, mas poderá se desprender temporariamente do corpo pela bênção do sono e encontrar no mundo espiritual apoio e orientação do seu anjo de guarda para a solução de suas dificuldades.

Por isso, não se esqueça da oração antes de dormir, da ligação cada vez mais intensa com o Cristo Jesus, pois ela é a chave da saúde e também o remédio para sua insônia.

· · · · · · ·

MAS, NÃO SE ESQUEÇA TAMBÉM DE FECHAR AS GAVETAS DAS PREOCUPAÇÕES, POIS DO CONTRÁRIO O ARMÁRIO DA SUA MENTE NÃO SE FECHARÁ PARA O SONO REPARADOR.

· · · · · · ·

Investimento

* * *

Se ouvires atento a voz do Senhor teu Deus, e fizeres o que é reto diante dos Seus olhos, e deres ouvido aos Seus mandamentos, e guardares todos os Seus estatutos, nenhuma enfermidade virá sobre ti... porque eu sou o Senhor que te sara.[62]

Se você gasta boa quantia em dinheiro para manter seu carro em funcionamento, e não mede recursos para manter a casa em condições de habitabilidade, quanto não deverá investir em favor da sua saúde?

Você colocaria combustível adulterado em seu carro?

Compraria canos furados e fios descascados para utilizar em sua residência?

---

[62] Êxodo: 15,26.

Se tivesse um cavalo de corridas você o levaria para comer hambúrguer e batata frita todos os dias?

Por que então não oferece o melhor de si em favor do maior patrimônio que você desfruta para continuar vivo e realizando sua missão neste planeta?

Você sempre terá que arrumar tempo para cuidar da saúde ou da doença. A escolha é por nossa conta.

Poderemos ter lindos propósitos de espiritualização, mas se não cuidarmos do corpo com a atenção que ele merece, iremos aportar no mundo espiritual na lamentável condição de suicidas.

Cuidar da saúde não deve ser nosso único objetivo na vida. Mas deve ser o primeiro.

· · · · · · ·

VOCÊ SEMPRE TERÁ QUE ARRUMAR TEMPO
PARA CUIDAR DA SAÚDE OU DA DOENÇA.
A ESCOLHA É POR NOSSA CONTA.

· · · · · · ·

Suas taxas

* * *

*... tomar comprimido para baixar o colesterol
sem cuidar das dimensões psicológicas,
emocionais e espirituais da saúde e da cura
nos faz perder a oportunidade de transformar
nossa vida de modo a torná-la mais
prazerosa e significativa.*
Dr. Dean Ornish[63]

Ter saúde não significa apenas não apresentar alguma doença. Saúde é um bem-estar físico que se associa a um bem-estar emocional, mental e espiritual. Por isso, alguém pode não sentir dor alguma e mesmo assim estar doente se, por exemplo, vive constantemente irritado.

---

[63] *Amor & Sobrevivência*, Rocco.

De que adianta apenas estar com o colesterol em ordem se o mau humor é constante em nosso proceder?

Não nos preocupemos apenas com a taxa do açúcar no sangue, vejamos também nossa taxa de doçura com as pessoas.

Acautelemo-nos contra o perigo do entupimento das artérias, mas não endureçamos o coração no trato com o próximo.

Cuidemos da dentição, mas não nos esqueçamos de sorrir para a vida a fim de que a saúde também possa sorrir para nós.

Pratiquemos exercícios para ter um bom aspecto físico, contudo não nos esqueçamos de também exercitar a beleza interior.

O Cristo nos pede para cultivarmos os valores eternos, os tesouros espirituais, aqueles que nem a traça nem a ferrugem consomem, nem os ladrões roubam.[64] A obsessão pelos tesouros da Terra tem sido responsável por muitas enfermidades que a Medicina ainda não foi capaz de identificar. O Mestre explica que onde estiver o nosso tesouro aí também estará o nosso coração.[65] O coração é o órgão motor da vida. Um coração que se transforma em tesouro dos bens materiais será sempre alvo de muitas perturbações, pois esses bens são, por natureza,

---

[64] Mateus: 6, 20.
[65] Mateus: 6, 21.

perecíveis, transitórios, mudam de mão a todo instante e isso é causa de muita angústia.

Muitas doenças decorrem da frustração de não possuirmos determinado bem material ou então do medo de perdê-lo quando o possuímos.

Não ignoremos que um dia teremos de abandonar o corpo, e, de regresso ao lar espiritual, somente nos restará o exame que medirá o prazer e o significado que conseguimos dar à nossa existência. O que vai nos importar do outro lado da vida será o amor que sentimos, os sorrisos que demos, o bem que fomos capazes de fazer, as músicas que cantamos, os abraços que distribuímos, os poemas que declamamos e a vida que fomos capazes de viver em toda a sua plenitude.

. . . .

MUITAS DOENÇAS DECORREM DA
FRUSTRAÇÃO DE NÃO POSSUIRMOS
DETERMINADO BEM MATERIAL OU
ENTÃO DO MEDO DE PERDÊ-LO
QUANDO O POSSUÍMOS.

. . . .

Receita simples

* * *

A natureza é, por excelência, divina e dotada de todos os poderes curativos, esperando somente ser solicitada para que, pela lei da afinidade, entregue-os aos filhos de Deus, e proporcione a saúde pelos caminhos da sabedoria e do amor.
Miramez[66]

De quando em quando, procure estar em contato mais próximo com a natureza. O ar puro da montanha, a brisa

---

[66] *Saúde*, psicografia de João Nunes Maia, Fonte Viva.

do mar, o bosque florido, o cantar das águas de um riacho produzem efeitos maravilhosos para a saúde. A natureza é o laboratório de Deus, local onde podemos sorver as energias mais adequadas em favor do nosso equilíbrio e serenidade.

As tensões do dia a dia vão se acumulando no corpo e afetam as engrenagens da saúde gerando muitos distúrbios físicos.

Experimente essa receita:

– tome um banho de mar ou cachoeira;
– ande descalço na grama ou à beira-mar;
– deite-se sob a sombra de uma árvore;
– abrace carinhosamente uma árvore frondosa;
– admire a noite estrelada;
– sinta o cheiro de terra molhada;
– converse com as flores;
– contemple o nascer e o pôr do sol;
– ouça o cantar dos pássaros.

Se não lhe for possível esse contato mais direto, procure um parque em sua cidade e recupere o equilíbrio caminhando pausadamente entre bosques e árvores. E se as condições físicas não lhe permitirem sair de casa ou do hospital, voe pelas asas do pensamento até os reservatórios da natureza de onde receberá novas forças em favor da sua saúde. Imagine-se ajoelhado à beira-mar, recebendo toda a vitalidade dos oceanos. Sinta a brisa marítima penetrando seus pulmões e restaurando suas forças. E não se esqueça de fazer todas essas atividades sob as bênçãos curativas da prece.

Você poderá achar que tudo isso seja muito simples para beneficiar a saúde, mas tenha certeza de que você está precisando mesmo é de simplicidade para viver com mais alegria e felicidade. A mãe natureza está aguardando sua visita.

· · · · · · ·

AS TENSÕES DO DIA A DIA VÃO SE
ACUMULANDO NO CORPO E AFETAM
AS ENGRENAGENS DA SAÚDE GERANDO
MUITOS DISTÚRBIOS FÍSICOS.

· · · · · · ·

Risoterapia

* * *

*Eu vivo contente, feliz a cantar, em paz
e alegria é o meu caminhar...*
Chico Xavier[67]

*Não há muita alegria na Medicina,
mas há muito remédio na alegria.*
Josh Billings

Cultive a alegria e o bom humor, pois a saúde anda de mãos dadas com esses dois poderosos remédios. O sorriso é a maior expressão da alegria, tão importante como os remédios e terapias. Se desejar recuperar a saúde, procure logo desarmar sua cara e estampe logo um sorriso no rosto

---

[67] Letra de canção popular entoada por Chico Xavier quando questionado por um repórter sobre o estado de saúde do médium. Chico desencarnou aos 92 anos de idade.

a fim de que as correntes divinas da cura consigam alguma sintonia com você.

No Reino dos Céus, os anjos encarregados da cura vivem sorrindo porque os males do nosso corpo são originários de uma forma de viver muito tensa, dramática e orgulhosa. O riso espanta a doença porque devolve alegria a cada célula do corpo.

A ciência médica já comprovou que o riso é terapêutico, tem poder de relaxar as tensões, melhorar a circulação sanguínea e fortalecer o sistema imunológico.

Comece rindo de si mesmo, não se leve tão a sério. Ria das coisas ridículas à sua volta. Curta o lado engraçado da vida e isso trará benefícios enormes para a saúde. Os perfeccionistas costumam viver de cara amarrada e geralmente estão cheios de doenças e remédios. O corpo é uma panela de pressão, se você não deixar o vapor escapar, a panela explode.

Quando você sorri com a alma, todo o seu corpo sorri também, e isso provoca um afrouxamento geral das tensões.

Permita-se momentos de descontração durante o dia, faça pausas para conversar leve e despreocupadamente. Conte e ouça anedotas saudáveis, mate sua doença de tanto rir, afinal de contas, como está na Bíblia: "O coração alegre é bom remédio, mas o espírito abatido faz secar os ossos."[68]

---

[68] Provérbios: 17, 22.

Encontre um pouco de saúde assistindo a um filme de comédia. Em vez de discursar para os amigos sobre todos os meandros de suas dificuldades orgânicas, reúna-os para se divertirem com filmes hilariantes.

Encontre graça nos episódios do cotidiano, pois uma pessoa sem graça geralmente é sem saúde também.

· · · · · · · ·

A CIÊNCIA MÉDICA JÁ COMPROVOU QUE O RISO É TERAPÊUTICO, TEM PODER DE RELAXAR AS TENSÕES, MELHORAR A CIRCULAÇÃO SANGUÍNEA E FORTALECER O SISTEMA IMUNOLÓGICO.

· · · · · · · ·

O poder da vontade

* * *

Não olvideis que, basicamente, toda cura depende da movimentação da vontade do próprio enfermo, sem cujo concurso determinante ela não ocorrerá.
Bezerra de Menezes[69]

Não se sinta impotente diante dos desafios que surgirem em seu caminho. A sensação de impotência, quando prolongada, traz repercussões negativas para a função imunológica, que é o mecanismo de defesa do organismo contra várias doenças.

---

[69] *A Coragem da Fé,* psicografia de Carlos A. Baccelli, Didier Editora.

Seu abatimento espiritual repercute em cada célula do corpo. Compare seu organismo a um exército, sendo a mente o general e as células os soldados. Se o comandante enfraquece, toda a tropa também se abate.

Há dentro de você uma força grandiosa, capaz de impulsioná-lo para a superação de quaisquer desafios. Não deixe essa força estagnada, jamais se dê por vencido, para tudo sempre há uma saída, sempre haverá uma solução.

Deus não quer ver você derrotado, ainda que as experiências difíceis sejam por vezes necessárias ao desenvolvimento dos nossos potenciais. Deus quer a sua vitória, e as dificuldades são apenas os meios pelos quais Deus se utiliza para lhe mostrar o quanto você é capaz de realizar. Sem as dificuldades, você provavelmente não sairia do mesmo lugar, viveria na ignorância do próprio poder. A doença veio lhe trazer um aperfeiçoamento em todos os níveis da sua vida.

Você é forte, vigoroso, a saúde é seu estado natural. A doença é um acidente de percurso que você superará com a ajuda dos médicos, mas, sobretudo com a força divina que Deus soprou em você quando o criou para ser feliz e saudável.

Antes de curar, o Médico Jesus costumava perguntar aos enfermos: "Queres ficar curado?"[70] Com semelhante indagação, o Divino Médico queria saber se poderia contar

---

[70] João: 5, 6.

com a vontade firme do paciente, pois sem ela Jesus não realizaria algo contra o desejo daquele que, de uma forma ou de outra, ainda não se decidira pela libertação de suas dores. Conscientemente, a maioria dos enfermos deseja se curar. Entretanto, nos planos do inconsciente, nem todos querem se livrar de suas feridas, pois elas são bengalas psicológicas através das quais obtêm alguma vantagem da situação. Será que, inconscientemente, adoecemos para chamar a atenção de alguém? Para punir determinada pessoa? Para não enfrentar certa situação que nos desagrada?

Ouçamos com atenção a pergunta do Cristo: "Queres ficar curado?"

· · · · · · ·

SEM AS DIFICULDADES,
VOCÊ PROVAVELMENTE NÃO SAIRIA DO
MESMO LUGAR, VIVERIA NA IGNORÂNCIA
DO PRÓPRIO PODER.

· · · · · · ·

Receita para ficar doente [71]

* * *

Cuide bem do seu cachorro, seu cavalo, seu carro, mas negligencie seu corpo. A Bíblia diz que seu corpo é o Templo do Espírito Santo e contrariar a Bíblia é sempre um caminho direto aos problemas.
Emmet Fox[72]

1. Não dê atenção ao seu corpo. Coma muita porcaria, use drogas, beba bastante;
2. Cultive a sensação de que sua vida não tem sentido nem valor;

---

[71] Esta receita, com algumas adaptações, foi divulgada pelo Dr. Bernie Siegel, em seu livro *Paz, Amor e Cura*, Summus Editorial.
[72] *Dia a Dia*, Nova Era.

3. Faça coisas de que não gosta e evite fazer o que realmente deseja;
4. Seja rancoroso e supercrítico, principalmente em relação a si mesmo;
5. Culpe os outros de todos os seus problemas;
6. Encha a cabeça de quadros pavorosos e depois fique obcecado com eles;
7. Evite relações profundas, duradouras e íntimas;
8. Fuja de qualquer coisa que se pareça com senso de humor;
9. Não expresse seus sentimentos e opiniões, os outros não vão gostar;
10. Evite qualquer mudança que possa lhe trazer mais satisfação e alegria.

Quero acrescentar à lista mais dois conselhos de Emmet Fox:
11. Discuta amplamente suas próprias doenças e, se tiver feito uma cirurgia, faça conferências dramáticas sobre ela em todas as oportunidades;
12. Nunca relaxe. Isso daria ao corpo uma chance de se recuperar.[73]

Tenho certeza de que todos esses conselhos são infalíveis para quem deseja ficar rapidamente doente ou jamais se curar, se já estiver enfermo.

---

[73] *Dia a dia, Um pensamento inspirador para cada dia do ano*, Nova Era.

Seja o alimento o seu remédio

***

Quando a boca sabe comer, o corpo é saudável.
Quando a mente sabe pensar, a alma é feliz.
Quando as mãos sabem ajudar, o coração é alegre.
Miramez[74]

---

[74] *Saúde*, psicografia de João Nunes Maia, Editora Fonte Viva.

Os alimentos são nutrientes da nossa organização física. Tudo o que comemos é transformado em combustível para as células, daí porque é bom saber se estamos dando ao corpo remédio ou veneno.

Por incrível que possa parecer, os médicos enfrentam mais problemas com os que comem demais do que com os que se alimentam de menos.

Três aspectos são fundamentais em matéria de alimentação: a) o que se come; b) quanto se come; c) como se come. Em relação aos dois primeiros itens, converse com o médico ou nutricionista a fim de avaliar suas necessidades alimentares.

Em relação ao terceiro aspecto, precisamos lembrar que nossa condição mental na hora da refeição também interfere no processo digestivo. Discussões à mesa da refeição contaminam os alimentos de energias tóxicas dificultando a absorção dos nutrientes. Alimentar-se com a mente tomada de nervosismo provocará distúrbios digestivos desagradáveis. Preferível não comer nessas horas até que a paz volte a nós.

A oração feita à mesa é luz que abençoa seu alimento, enriquecendo-o do que é essencial à saúde. Se você não tem o hábito de orar, formule pelo menos alguns breves pensamentos de gratidão a Deus pelo alimento que chega à sua mesa, e Ele responderá, trazendo o alimento celestial para saciar seu espírito de paz e saúde.

Terapia do amor

* * *

O mandamento amar o próximo como a ti mesmo não é apenas uma obrigação moral. É uma obrigação fisiológica. Interessar-se pelos outros é biológico.
Dr. James Lynch[75]

Amar é a mais excelente terapia para a erradicação de nossos males. Hoje já se comprova cientificamente que o amor é um potente indutor da função imunológica. Pesquisas demonstram que pessoas voltadas a trabalhos

---

[75] Citado por Dean Ornish, *Amor & Sobrevivência*, Rocco.

altruísticos vivem por mais tempo, graças aos anticorpos espirituais que o amor projeta em nosso cosmo orgânico.

O ato espontâneo de ajudar o próximo provoca uma explosão de endorfinas, a demonstrar que nós fomos criados por Deus para o amor. Quando amamos desinteressadamente, nosso corpo funciona melhor, temos uma sensação de bem-estar incrível, a alegria de viver nos invade e torna nossos dias mais felizes.

Mas, quando agimos com egoísmo, raiva e desprezo, contra o próximo, fugimos da nossa configuração divina, e assim nos sentimos isolados, carentes, não amados, e por tudo isso, enfermos. O isolamento e a solidão são responsáveis pelo solo onde muitas doenças começam a germinar.

Fomos concebidos por Deus para vivermos no amor, para vivermos uns ao lado dos outros em um regime de ajuda mútua. Todas as vezes que fugimos do amor e dos relacionamentos, a saúde foge também.

Dar e receber amor, cultivar boas amizades e desempenhar tarefas de apoio social na sua comunidade representam uma proteção para a nossa saúde, uma vez que são atividades que fortalecem as células imunológicas. Já a solidão e a sensação de abandono criam condições favoráveis para que vírus e bactérias nos agridam com maior facilidade.

A caridade é curadora porque nos tira do isolamento, mata a nossa solidão existencial. Dar um pedaço de pão, ou mesmo um simples aperto de mão, um olhar a quem está perdido na multidão, pode fazer milagres pela nossa saúde.

Por isso, se deseja a cura, comece agora mesmo com medidas muito simples:

– convide um amigo para jantar e conversar;
– reúna toda a família para aquele gostoso almoço de domingo;
– ligue para um amigo que anda distante;
– faça novos amigos;
– aliste-se em algum trabalho voluntário, sendo útil à comunidade onde Deus o colocou;
– pratique generosidade na família, no trânsito, na escola e no trabalho;
– tolere as imperfeições alheias.

Assim agindo, você sentirá o amor fazendo milagres por você.

Perdoe aos seus pais

* * *

Se você chegar a um ponto em que possa amar a si mesmo, em que fique realmente extasiado por existir, em que sua gratidão não conheça limite, subitamente sentirá um grande amor surgindo para com seus pais.
Eles foram as portas para você entrar na existência. Sem eles, esse êxtase não teria sido possível – eles o tornaram possível.

Osho[76]

---

[76] *Osho todos os dias*, Verus Editora.

Sob o prisma espiritual, todas as doenças têm origem em um estado de não-perdão. Quando se fecha a porta do coração, somente o perdão é capaz de abri-la. Quando a enfermidade se manifesta, precisamos olhar à nossa volta e perguntar a quem estamos precisando perdoar.

É provável que, dentre as pessoas mais próximas, seus pais sejam as pessoas as quais você mais esteja necessitando perdoar. Todos nós sofremos algum tipo de violência na infância. Em algum nível, recebemos maus-tratos, sejam eles físicos ou emocionais. Nossos pais também eram aves feridas por falta de respeito daqueles que os educaram. Ninguém no planeta Terra, à exceção de Jesus, conseguiu viver o amor ao próximo em sua total plenitude, por isso frequentemente ferimos e somos feridos, magoamos e somos magoados, acusamos e somos acusados. O perdão dissolve essa cadeia de ressentimentos recíprocos e propicia o surgimento do amor em nossas vidas.

Porque não perdoamos é que promovemos tantas guerras. Porque não perdoamos é que vivemos tão doentes. Porque não perdoamos nossos pais é que projetamos esses conflitos em nossos relacionamentos de agora. Abençoe seus pais, veja-os como pessoas iguais a você, e assim poderá compreendê-los em todos os seus feitos, em todos os seus enganos.

Nossos pais são as raízes da árvore da nossa vida. Se nossos galhos hoje estão secos e doentes, precisamos refletir se o problema não está na raiz. Se as pragas do ódio e do ressentimento estão afetando as raízes, a árvore não crescerá saudável e nem dará bons frutos. Não apenas as doenças, mas até mesmo a falta de prosperidade pode estar associada aos problemas de relacionamento com os genitores.

Se procuramos Jesus para que Ele nos cure as enfermidades, aceitemos logo o remédio que Ele prescreveu de perdoar setenta vezes sete.[77] Comece agora mesmo com seus pais. Mas, não vire essa página ou feche este livro sem ao menos transmitir a eles um pensamento de compaixão. É assim que o amor começará a cobrir você de todos os seus enganos.

· · · · · · ·

NOSSOS PAIS SÃO AS RAÍZES DA ÁRVORE DA NOSSA VIDA. SE NOSSOS GALHOS HOJE ESTÃO SECOS E DOENTES, PRECISAMOS REFLETIR SE O PROBLEMA NÃO ESTÁ NA RAIZ.

· · · · · · ·

---

[77] Mateus: 18, 22.

Doenças do casamento

* * *

Veja bem, nosso caso é uma porta entreaberta,
eu busquei a palavra mais certa, vê se entende
o meu grito de alerta.
Veja bem, é o amor agitando o meu coração,
há um lado carente dizendo que sim,
essa vida da gente gritando que não.

Gonzaguinha[78]

A união conjugal pode se converter em fonte de saúde em nossa vida quando ela é rica de afeto, amor e cari-

---

[78] Canção *Grito de Alerta*.

nho. Pesquisas científicas comprovam que, pessoas, que se sentem amadas por seus cônjuges, são muito menos propensas às enfermidades e têm uma capacidade maior de recuperação quando adoecem.

Quando nos sentimos amados por manifestações concretas de nosso parceiro, somos tocados em nosso coração emocional, e isso faz com que a bioquímica do corpo produza substâncias geradoras de saúde física e emocional.

Quando, porém, o amor bate em retirada, a saúde também se ausenta, pois muitas das nossas enfermidades têm como causa as carências emocionais. Eis aí a grande chave para as doenças em família, pois quando alguém adoece no lar é provável que todo o organismo familiar esteja doente também.

Pena que se ame tão pouco depois do casamento.

Pena que o amor dos primeiros tempos tenha sido esquecido no altar da igreja.

Pena que o sentimento de posse esteja asfixiando os sonhos daquele a quem, no passado, prometemos felicidade.

Pena que não tenhamos mais palavras gentis como outrora.

Pena que não sejamos mais doces e ternos como antes.

Por isso muitos cônjuges adoecem após o matrimônio. A doença nada mais é do que o grito de alerta. Curar o parceiro enfermo exigirá também a cura de seu companheiro.

A enfermidade que mais mata no casamento se chama "anemia amorosa", e para esse mal o Médico Jesus há mais de dois mil anos vem receitando o remédio do "ame ao seu próximo como a si mesmo."

·······

QUANDO, PORÉM, O AMOR BATE EM
RETIRADA, A SAÚDE TAMBÉM SE AUSENTA,
POIS MUITAS DAS NOSSAS ENFERMIDADES
TÊM COMO CAUSA AS
CARÊNCIAS EMOCIONAIS.

·······

Aos profissionais da saúde

* * *

Os médicos devem ir a santuários como o de Lourdes, onde vão os doentes incuráveis, para entenderem o valor da esperança e da oração. De que serve nossa formação médica num santuário, onde vão todos os doentes incuráveis? Bem, você começa a perceber que o que tem valor é sua presença.
Dr. Bernie Siegel[79]

---

[79] *Viver Bem Apesar de Tudo*, Summus Editorial.

Você é um tarefeiro de Deus junto àqueles que passam pelas dificuldades no campo da saúde. Saiba que sua postura junto aos enfermos é tão ou mais importante que toda a parafernália de que hoje a Medicina dispõe para o tratamento das doenças.

Quando o médico tem os olhos da esperança, o tratamento ganha um forte aliado, pois se desperta a fé do paciente, sem a qual a cura é quase impossível. O médico não pode esquecer que, por detrás de alguém com dificuldades orgânicas, existe uma alma gemendo de dor. Não basta apenas tratar o corpo quando a alma é que está doente. Não se consegue isolar o coração, o fígado, ou qualquer órgão do corpo da alma enferma.

O enfermeiro também desempenha importante papel, pois passa a maior parte do tempo ao lado daquele que perdeu a saúde, muito mais do que o próprio médico. Seja você um enviado de Deus ao lado dos doentes. Juntamente com remédios e injeções, aplique doses de simpatia, alegria e otimismo, pois muitas vezes é disso que os pacientes precisam.

Não esqueçamos a lição de Jesus quando afirmou que não eram as pessoas saudáveis que precisavam de médico, mas as doentes.[80] Portanto, os profissionais da saúde precisam primeiramente gostar dos doentes, tratá-los da melhor forma possível, como se fossem familiares queridos

---

[80] Mateus: 9, 12

O MÉDICO JESUS

que estivessem enfermos sob seus cuidados. Façam sempre a seguinte indagação: "Se o enfermo de quem devo cuidar fosse uma pessoa querida do meu coração, como eu o trataria?" E façam o melhor por aquele que, diante de Deus, é também um irmão seu.

E se isso não funcionar, lembrem-se de que um dia o médico e o enfermeiro também ficarão doentes.

· · · · · · ·

NÃO BASTA APENAS TRATAR O CORPO
QUANDO A ALMA É QUE ESTÁ DOENTE.

· · · · · · ·

Visualização criativa

* * *

A química e a física do corpo podem estar –
e acredito que realmente estejam – submetidas
a uma espécie de regência mental e espiritual.
Esse é um novo conceito para se repensar a
saúde e a cura, e para se investir nas práticas
libertadoras de energias curativas.
Estou convicto de que a meditação, exercida
com regularidade, é um meio precioso para a
recuperação e manutenção da saúde.
Dr. Brian Weiss[81]

---

[81] *Meditando com Brian Weiss*, Sextante.

Você talvez não tenha dúvidas de como a nossa imaginação é capaz de produzir sensações físicas agradáveis e desagradáveis. Por exemplo: feche os olhos por um instante e imagine fortemente que você esteja chupando um limão. Sentiu o gosto ácido e azedo em sua boca? Estou certo de que sim. Pois bem, você na verdade não estava chupando o limão, apenas imaginou que estivesse. Nosso corpo não distinguiu se a experiência era real ou imaginária.

Quando sonhamos, e acordamos no meio de um pesadelo, sentimos os batimentos cardíacos acelerados, o suor molhando a testa, a falta de ar, e tudo isso por conta de algo que estava se desenvolvendo apenas em nossa mente.

Tudo está sendo dito para que usemos o poder da imaginação para fortalecermos a saúde, pois o que se passa em nossa mente se estende direta e imediatamente ao corpo. Essa técnica da visualização para a saúde já vem ganhando força entre muitos médicos em todo o mundo, sendo importante coadjuvante do tratamento médico convencional. A seguir, vou lhe indicar uma visualização bem simples, porém muito eficiente em favor da sua saúde. Você poderá fazê-la uma vez ao dia enquanto estiver sob tratamento.

Estando relaxado em um local tranquilo, respire inalando o ar como quem absorve energias de paz e serenidade. Em seguida, visualize um encontro com o Médico Jesus. Escolha o lugar que mais lhe agradar para esse momento, pode ser um lugar junto à natureza ou mesmo junto ao local onde você se encontra. Jesus veio especialmente ao seu encontro, porque Ele é o Bom Pastor que ama suas ovelhas. Visualize agora, com muita intensidade, Jesus impondo as mãos sobre você e das mãos dele uma luz dourada, carregada de energias altamente curativas, envolve todo o seu corpo enfermo. Sinta essa luz banhá-lo da cabeça aos pés, e demorando-se mais um pouco sobre alguma parte do seu corpo que esteja doente ou dolorida. Veja essa luz purificando seu corpo, veja você completamente banhado nessa luz cada vez mais intensa.

Se você tem algum tumor, por exemplo, visualize essa luz grandiosa como um fogo derretendo integralmente o tumor até desaparecer por completo. Não se esqueça de que essa luz vem de Jesus, é Dele que brota toda a força de cura. Visualize também essa luz cicatrizando lesões, desobstruindo artérias, enfim, fazendo algo em favor do seu bem-estar.

Quando terminar, agradeça ao Médico Jesus o amparo recebido, agradeça por já estar curado, e se comprometa a seguir a orientação do "amai-vos uns aos outros", para que não te suceda coisa pior.

Oração a Jesus

* * *

Meu amigo Jesus:
Há quanto tempo não O procuro para conversar. Reconheço que somente O busco quando as provações sacodem o barco da minha vida. Confesso que tenho mais pensado nas coisas da Terra do que nas coisas do Céu.

E hoje a tempestade bateu à minha porta em forma de doença. Por isso busco em Ti o socorro, Jesus, para que não afunde a minha embarcação.

Querido Mestre, ampara-me para que jamais me falte a esperança na cura e a paciência para suportar as dores do momento.

Divino Terapeuta, ajuda-me a não me sentir um pobre coitado e a não me inclinar à autopiedade, pois isso seria o que de pior poderia me acontecer.

Incomparável Médico, sustenta-me para que, sem desprezar a ajuda dos médicos da Terra, eu encontre em mim os canais da cura, pois se fui capaz de criar minhas doenças, tenho também todas as condições de recuperar a saúde.

Mestre Amigo, dá-me forças para vencer os desejos insanos, os melindres, os ataques de orgulho, pois sei que esses são os grandes venenos para a minha saúde.

Cristo Jesus, cura-me da insensatez de viver longe dos teus mandamentos de amor e fraternidade, sem cuja vivência eu jamais encontrarei a saúde inabalável.

Amado Pastor, ensina-me a perdoar os que me ofendem para que eu consiga remover os espinhos que me levam à enfermidade.

Querido Rabi, não me deixe perdido no labirinto das provas que a minha invigilância não quis evitar. Misericórdia, Senhor, é o que te peço. Trazei-me o elixir do seu amor, a derramar sobre mim as bênçãos cristalinas da saúde do teu coração.

Obrigado, Jesus, por ser meu Amigo e Médico. Estou em paz, estou curado no teu amor.

"De Lucca nos brinda, novamente, com sua rara sensibilidade para entender a alma humana, com um livro que é, ao mesmo tempo, vacina e medicamento para as doenças do nosso espírito. Na dúvida sobre o que fazer para resolver seus males: chame o Médico Jesus..."

Dr. Américo Canhoto,
médico e escritor.

"É um livro exatamente como os remédios modernos que combinam substâncias para melhor eficácia. É como um comprimido, feito para você tê-lo sempre às mãos. E recorrer, a todo instante, em qualquer lugar, a uma equipe renomada de especialistas em saúde, chefiada pelo melhor de todos: Jesus. Só estou recomendando porque já comecei a usar."

Jether Jacomini Filho,
Diretor de Programação da Rede Boa Nova de Rádio.

"Este livro é uma injeção de verdade, ânimo e coragem, que nenhum remédio ou cirurgia é capaz de oferecer. Pensamentos que atingem a mente e a alma como nenhum exame pode fazer. Leitura e prática excelentes para a saúde."

Dra. Cláudia de Carvalho Martins,
médica.

"Nessa obra, De Lucca relembra a grandiosa missão do Cristo. Jesus nos ensina, em todas as suas mensagens, o caminho supremo da cura que se dá pela transcendência e contato com a dimensão espiritual onde nossa alma encontra descanso no Amor Crístico."

Del Mar Franco,
psicóloga e apresentadora do programa Transição na Rede TV.

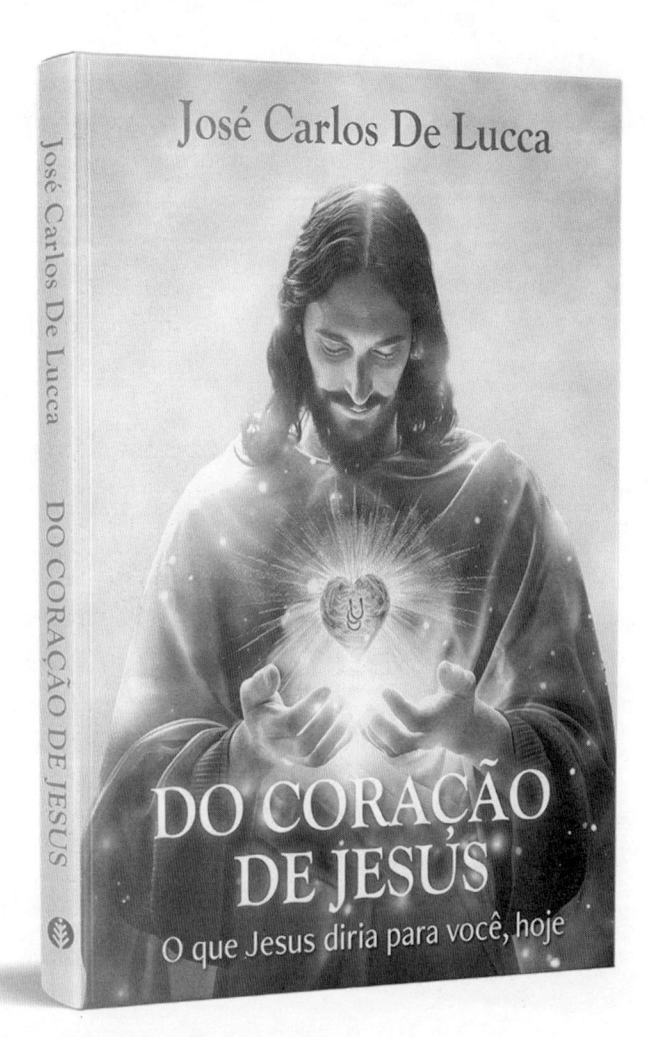

Do Coração de Jesus
José Carlos De Lucca

 Cada página desta obra é uma conversa no sofá da sala, no corredor do hospital, na entrevista de emprego, na estação do adeus, quando alguém parte do nosso convívio físico; nas calçadas da vida, onde perambulamos, muitas vezes desesperançados.

O Mestre do Caminho
José Carlos De Lucca

 O leitor vai encontrar um Jesus vivo, sábio e amoroso, como ele o é, um Jesus que sai da História para entrar na vida de cada um, que não veio diretamente nos salvar, mas, sim, nos apresentar o caminho!

Aqui e Agora
José Carlos De Lucca

 De Lucca fala da importância de cultivarmos a nossa Espiritualidade, pois é ela que confere sentido e propósito à nossa vida, é o que explica de onde viemos, qual a nossa missão neste mundo e para onde vamos depois de deixar o plano terreno.

Simplesmente Francisco
José Carlos De Lucca

Extraindo reflexões sobre a vida repleta de desafios, conflitos e superações de São Francisco de Assis, De Lucca nos convida a buscar um sentido para a nossa vida também. Deixemos que Francisco, simplesmente, nos guie por esse caminho!

Pensamentos que ajudam
José Carlos De Lucca

Este livro nos ajuda a viver mais conectados com o que somos, a lidar com as nossas fragilidades e os nossos conflitos de forma mais produtiva e a fazer do planeta o reflexo do mundo de paz, harmonia, amor e compreensão que passaremos a construir dentro de nós!

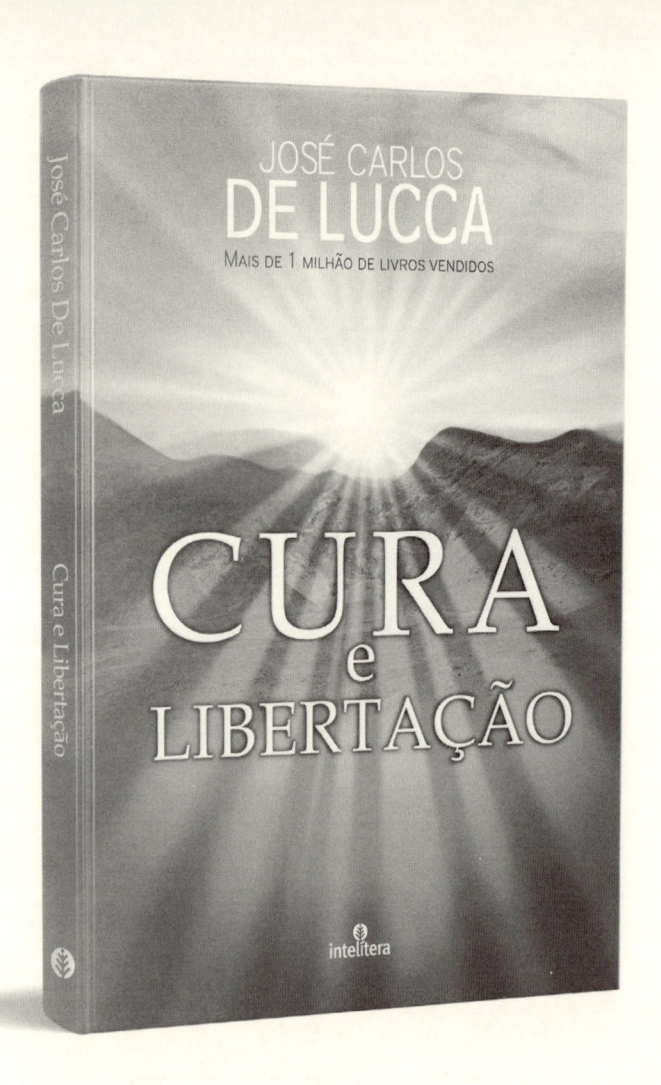

Cura e Libertação
José Carlos De Lucca

Neste livro, o leitor encontrará palavras que curam a nossa maneira de lidar com os problemas e que nos libertam do círculo vicioso do sofrimento.

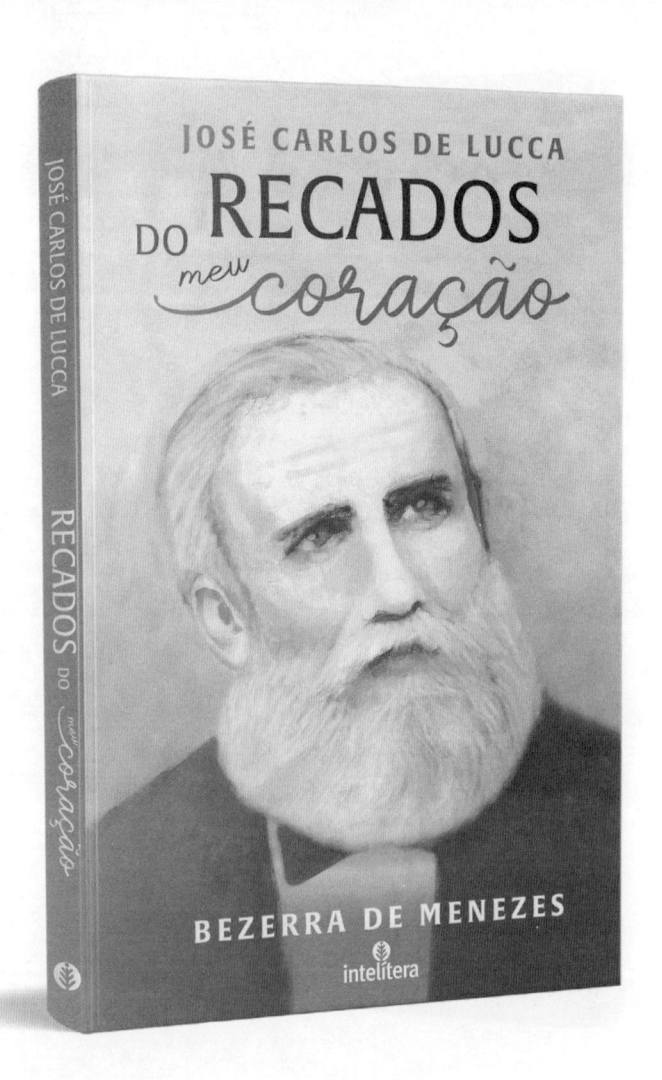

Recados do meu Coração

José Carlos De Lucca
pelo espírito *Bezerra de Menezes*

Bezerra de Menezes, com simplicidade e carinho, envia os recados de seu coração, envolvendo-nos na leitura em ondas de luz, amor e sabedoria.

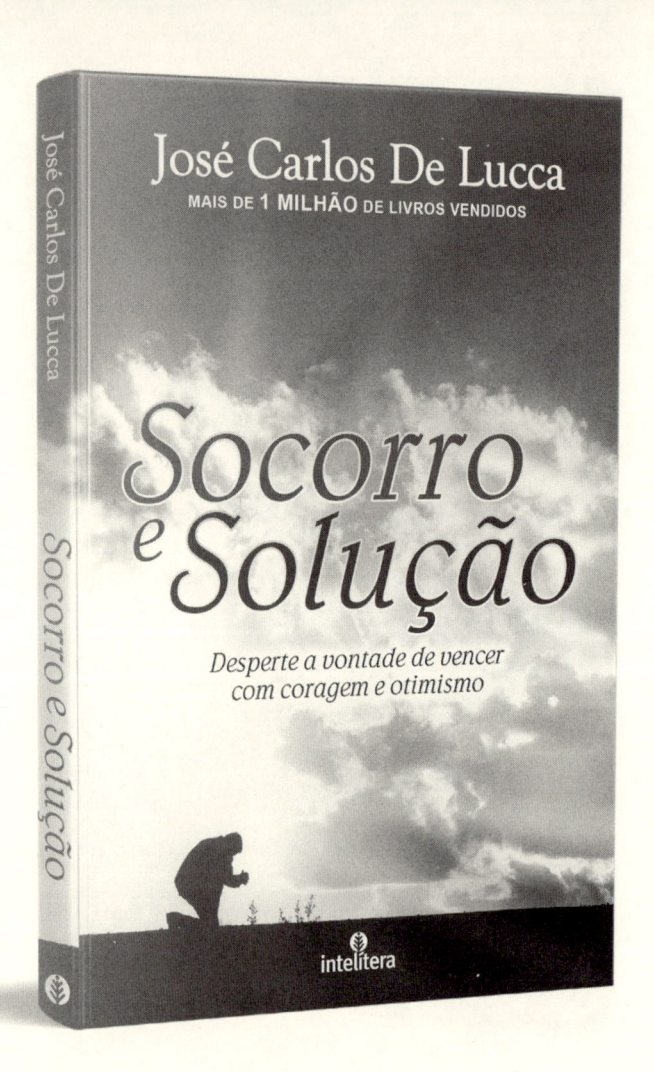

Socorro e Solução
José Carlos De Lucca

    Através de *Socorro e Solução*, o leitor terá em suas mãos todos os ingredientes necessários para aprender a segurar as cordas que Deus lança em nosso socorro nos momentos difíceis.

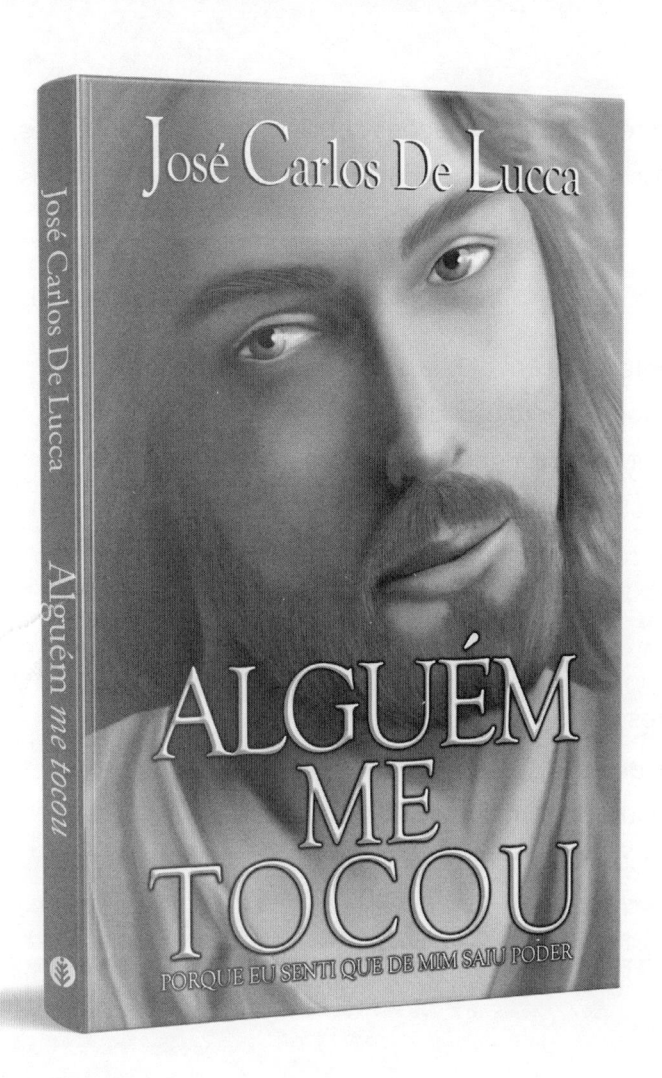

Alguém me tocou
José Carlos De Lucca

Este livro nos mostra que o Mestre espera mais de nós; que não fiquemos apenas aguardando ser "tocados" por Ele.

Para receber informações sobre nossos lançamentos, títulos e autores, bem como enviar seus comentários, utilize nossas mídias:

🌐 intelitera.com.br
✉ atendimento@intelitera.com.br
▶ youtube.com/inteliteraeditora
📷 instagram.com/intelitera
f facebook.com/intelitera

Redes sociais do autor:

🌐 jcdelucca.com.br
▶ youtube.com/José Carlos De Lucca
📷 instagram.com/josecdelucca
f facebook.com/orador.delucca
🎵 spotify/Podcast José Carlos De Lucca

Esta edição foi impressa pela Lis Gráfica e Editora no formato 140 x 210mm. Os papéis utilizados foram o papel Chambril Avena 70g/m² para o miolo e o papel Cartão Ningbo Fold 250g/m² para a capa. O texto principal foi composto com a fonte GoudyOlSt BT 13/18 e os títulos com a fonte GoudyOlSt BT 60/70.